¿Por negocios o por amor?

JULES BENNETT

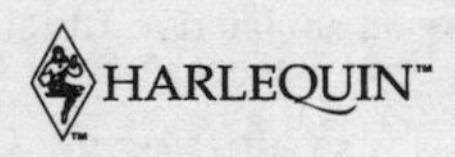

Editado por HARLEQUIN IBÉRICA, S.A.
Núñez de Balboa, 56
28001 Madrid

¿POR NEGOCIOS O POR AMOR?, N.º 1749 - 13.10.10
Título original: For business... or Marriage?
Publicada originalmente por Silhouette® Books.

I.S.B.N.: 978-84-671-9089-2
Depósito legal: B-32066-2010
Editor responsable: Luis Pugni
Preimpresión y fotomecánica: M.T. Color & Diseño, S.L.
C/ Colquide, 6 portal 2 - 3º H. 28230 Las Rozas (Madrid)
Impresión y encuadernación: LITOGRAFÍA ROSÉS, S.A.
C/ Energía, 11. 08850 Gavá (Barcelona)
Fecha impresion para Argentina: 11.4.11
Distribuidor exclusivo para España: LOGISTA
Distribuidor para México: CODIPLYRSA
Distribuidores para Argentina: interior, BERTRAN, S.A.C. Vélez Sársfield, 1950. Cap. Fed./ Buenos Aires y Gran Buenos Aires, VACCARO SÁNCHEZ y Cía, S.A.
Distribuidor para Chile: DISTRIBUIDORA ALFA, S.A.

Capítulo Uno

–¡Móntalo!

Su cuerpo se estremeció, se convulsionó. Todos los músculos le dolieron mientras se sujetaba para la cabalgada de su vida. Lo único que importaba era resistir hasta el final.

–Mueve las caderas.

Como si tuviera otra opción. Le quemaban los muslos y estuvo a punto de desvanecerse cuando llegó al final.

Gracias a Dios. El toro mecánico se detuvo por fin.

La gente gritó y silbó.

–¡Eso, señoras y señoras, es una dama que sabe montar! –bramó la voz del DJ a través de la multitud–. Ha permanecido arriba durante once segundos. Que alguien invite a esta chica a una cerveza.

Abby Morrison se bajó del rojo vinilo acolchado con piernas temblorosas y se acercó hasta el suelo de madera rayada. En sus veintiocho años de vida nunca había hecho nada tan… estúpido, tan divertido.

Creía que lo difícil había sido recorrer el colchón de espuma, pero ahora que estaba sobre suelo firme seguía teniendo problemas.

Tal vez el problema estuviera en haber bebido dos, no tres, no... quién sabía cuántos margaritas y los dos chupitos del misterioso líquido que le había escogido el camarero. Bueno, después del día que había tenido se merecía un poco de diversión. Necesitaba desconectar de la realidad aunque fuera brevemente y aunque se arrepintiera por la mañana.

Abby iba chocando las manos que le tendían mientras se abría paso entre la multitud. Estaba volviendo hacia el taburete del bar que había calentado antes de arriesgarse a montar el toro cuando una mano grande y conocida se le posó en el hombro.

¿Tenía que estropearle todo aquel día?

Su mirada se deslizó desde la mano morena por la inmaculada manga blanca hasta llegar a un par de ojos furiosos y negros como el carbón. Unos ojos que en sus fantasías resultaban mucho más afectuosos.

–Cade –Abby sonrió mirándolo a esos ojos–. ¿Qué estás haciendo aquí?

–Rescatarte.

Cade le hizo una seña al camarero para que le diera el bolso y las llaves de Abby.

Eso era lo que le molestaba de Cade Stone. No tenía necesidad siquiera de hablar para que la gente le obedeciera.

Hacía un año que lo conocía, y durante todo aquel tiempo había mantenido un aura de poder combinada con un cuerpo letal, todo ello envuelto en ropa italiana. En cuanto entraba en una habitación, las mujeres se desmayaban... y ella no era la excepción.

–No voy a ir a ninguna parte –aseguró Abby, aunque si la invitación fuera para ir a su casa, lo reconsideraría seriamente–. Pero si quieres quedarte puedes tomarte una copa conmigo.

–Creo que esta noche ya has bebido por los dos.

Agarrándola con fuerza del brazo, la guió hacia la salida. Hacía una noche demasiado fresca para ser primavera.

–¿Cómo me has encontrado? –quiso saber Abby mientras se tambaleaba detrás de aquel troglodita que la estaba arrastrando hacia su coche.

Cade abrió la puerta del copiloto, arrojó dentro sus cosas, la agarró de la cintura y la colocó sobre el asiento.

–Ésta fue la primera propiedad que vendí cuando entré en el negocio inmobiliario con mi padre. El dueño y yo seguimos siendo amigos.

Claro. ¿Quién no conocía al todopoderoso Cade Stone? Y no sólo eso. Abby sabía que cualquiera haría todo lo que estuviera en su mano por hacer felices a Cade y a su hermano Brady.

Trató de ignorar el estremecimiento de su cuerpo allí donde él le había tocado la mano y la cintura. Los escalofríos se debían al alcohol... seguro que sí. Se negaba a creer que sus sentimientos hacia Cade fueran algo más que superficiales.

¿Cómo iba a confiar en su instinto si estaba...? ¿Cómo era la palabra que estaba buscando? Ah, sí. Destrozada.

–Pero, ¿por qué te ha llamado? –preguntó Abby apartándole la mano cuando trató de atarle el cinturón de seguridad.

Aquellos ojos negros que se le aparecían en sus fantasías se cruzaron con los suyos.

–Imaginó que no quería ver a mi ayudante marinada en público. Tenía razón.

La puerta se cerró antes de que pudiera pensar en una respuesta. Abby se acomodó en el cálido asiento de cuero y cerró los ojos cuando Cade arrancó el motor.

Abby trató de apartar de sí los pensamientos que la habían llevado hasta aquella noche. Pero las facturas médicas de su madre, los gastos del funeral y la más reciente oferta de trabajo de Cade eran demasiado para su mente. No podía pensar en nada más.

Ya había decidido dejar aquel trabajo tan exigente justo antes de que Cade soltara aquella bomba que cambiaría su vida. La suya y la de él. ¿Cómo iba a marcharse ahora? Pero, ¿cómo iba a quedarse?

–¿Tienes alguna razón para portarte como una mujer liberada y fiestera?

–Sí.

Se hizo el silencio entre ellos mientras Cade conducía por las calles de San Francisco. Abby sabía que estaba esperando una respuesta, pero sinceramente, no creía que se la mereciera.

–¿Y? –le espetó.

Ella abrió los ojos y le miró fijamente.

–Mis acciones y las razones que se esconden tras ellas no son asunto tuyo.

Abby no pudo evitar sonreír de oreja a oreja cuando las manos de Cade apretaron con más fuerza el volante. Era lo que se merecía tras haber arrojado aquella bomba en la oficina por la tarde.

Estaba prometido.

Le había clavado un cuchillo en el corazón cuando hizo el anuncio. Pero aquello no fue suficiente. No. Cade retorció el cuchillo cuando le pidió que organizara la boda y trabajara directamente con Mona, la afortunada novia.

Abby reunió el coraje suficiente para decirle que se iba. Que no podía seguir trabajando con un hombre del que se había enamorado secretamente.

Pero Cade le había ofrecido una impresionante suma de dinero por organizar su «encargo nupcial». Dios, no conocía a la afortunada novia, pero no había nada en aquella boda que resultara romántico. ¿Cómo iba a planear una boda bonita cuando una de las dos partes, o posiblemente las dos, lo consideraban únicamente un asunto profesional más?

Estupendo. Sencillamente estupendo. Sólo porque había trabajado como organizadora de bodas para una prestigiosa empresa varios años antes de entrar en Stone Entreprises, Cade pensaba ahora que estaba cualificada para organizar la suya.

Maravilloso.

–Esto no es propio de ti, Abby.

¿Acaso la conocía tanto como para decir algo así? Sí, trabajaba para él, pero no sabía nada de su vida personal. Porque si la conociera, nunca la habría colocado en aquella posición.

Abby mantuvo los ojos cerrados, incapaz de mirar la expresión sombría de su rostro dentro de la oscuridad del coche. Aunque el hecho de que estuviera despeinado, una imperfección menor, le hacía ser en cierto modo más cercano. Nunca, en todos los años que había trabajado para él le había visto de otra manera que no fuera perfecto.

No quería considerar la posibilidad de que Cade hubiera estado en la cama cuando recibió la llamada hablándole de ella. ¿Estaría esa tal Mona esperándole en su casa? ¿Manteniéndole las sábanas calientes?

No, no quería ir por ahí. Sin embargo y por desgracia, todos sus pensamientos estaban ahora invadidos por Cade. El hombre no sólo ocupaba un gran espacio en su mente, sino que además su aroma masculino inundaba también el coche.

Abby gruñó en voz alta.

–¿Te encuentras bien? –le preguntó él.

Su tono de voz era una mezcla de preocupación e irritación.

–¿Quieres que pare?

Abby se rió ante el hecho de que Cade pensara que estaba a punto de vomitar en el inmaculado asiento de su coche de alto ejecutivo.

¿Estaba más preocupado por la factura de la limpieza que tendría que hacerle a la tapicería o por su estado físico?

Conteniendo otro gruñido, Abby miró por la ventanilla.

–Llévame a casa.

Sería mucho mejor hundirse en la autocompasión en su pequeño estudio situado al otro lado de la ciudad. Todo un contraste comparado con el lugar donde vivía Cade, un ático carísimo en el que probablemente le estaría esperando su prometida en la cama.

¿Quién había pedido una banda de música?

Abby se giró hacia un lado. Estaba deseando que terminara la sección de percusión. Sus mejillas rozaron algo suave y delicado... ¿seda?

Se incorporó de golpe, agarrándose la cabeza para no caerse. Estaba en la cama, pero no era la suya, percibió abriendo sólo un ojo. Ella no tenía una cama gigantesca con sábanas de seda grises y colcha a juego.

Entonces recordó dónde estaba.

En casa de Cade. Estupendo. Sencillamente estupendo.

Con una mano a cada lado de la cabeza, se arriesgó a abrir los dos ojos y mirar si él estaba cerca con aquella expresión suya de burla. Gracias a Dios, estaba sola. Y completamente vestida.

Se quedó escuchando durante un instante, pero no le oyó moverse tampoco por ninguna de las demás habitaciones. Con suerte habría salido y se comportaría como un caballero, dejándole salir de allí sin decir una palabra. Haciendo un esfuerzo por salir de la cama, se ajustó la ropa arrugada y se incorporó.

Buscando frenéticamente el bolso y las llaves, Abby salió despacio al pasillo. Seguía sin oír a Cade. En el gigantesco salón, que medía el doble de su apartamento, vio su bolso encima de la mesa de hierro que había delante del sofá de cuero marrón.

Había una nota apoyada contra el bolso. Abby sintió un cosquilleo en el estómago cuando cruzó el suelo de madera y agarró el papel: *Quédate aquí. Tenemos que hablar. Cade.*

Con la nota en la mano, Abby se dejó caer sobre el gigantesco sofá. El suave cuero gimió bajo su peso, imitando el sonido de sus emociones.

¿Estaba pensando en volver a regañarle? Tal vez fuera su jefe, pero desde luego no era su guardián. La ira comenzó a sustituir a los nervios cuando se dio cuenta de que Cade no tenía derecho a sacarla del bar la noche anterior.

Sin embargo, por la mañana no parecía tan divertido. La resaca, el hecho de que tuviera que ayudar a la prometida de Cade a planear la boda del año y que no pudiera rechazar el encargo porque todavía tenía que pagar las facturas médicas de su madre, convertían aquel día en un lío.

Se tragó las lágrimas que amenazaban con apoderarse de su desgraciada mañana. Su madre no hubiera querido que se entristeciera demasiado por su muerte, ni que aceptara un trabajo que odiaba. Pero tampoco podía quedarse sepultada por las deudas. Cuando la boda hubiera terminado, Abby se marcharía sin importarle lo que Cade opinara.

***

Cade había cerrado acuerdos multimillonarios. Se había lanzado en paracaídas con un socio temerario sólo por diversión. Incluso se había atrevido a pedirle a una mujer a la que no amaba que se casara con él… sólo para poder lanzar su negocio en otros países.

Disfrutaba cada minuto de aquellos momentos. Pero en aquel momento, en la puerta de su ático, Cade sólo podía limitarse a mirar la puerta. No era capaz de entrar. Y todo porque tenía miedo de enfrentarse a una rubia menuda y con curvas.

La imagen de Abby montando aquel maldito toro mecánico le había perseguido toda la noche. Deseó no haber ido nunca a aquel bar para sacarla de allí.

Pero no era cierto. La imagen erótica de sus caderas moviéndose hacia delante y hacia atrás y el cabello pegado al rostro húmedo se le había clavado para siempre en la mente, pero eso no cambiaría nada. Nunca la había visto tan espontánea, tan liberada… y tan sexy. Daba por hecho que su visita a aquel popular bar de San Francisco había sido una decisión de última hora. El camarero le había dicho que Abby había llegado sola. Aquél era uno de esos momentos en los que agradecía que la gente supiera quién era y quién trabajaba para él.

Tenía que sacarse aquella maldita imagen de la cabeza. Era su ayudante, por el amor de Dios. Lo ayudaba con todo, desde llevar a cabo una transacción comercial hasta viajar con él para ver propiedades que estaba interesado en comprar. Nunca la había relacionado con el sexo. Pero ahora, tras los acontecimientos de la noche anterior, era en lo único en lo que podía pensar.

Con una bolsa de la panadería bajo el brazo, Cade entró finalmente en su apartamento y se forzó a actuar como un adulto, no como un adolescente con las hormonas disparadas.

Lo primero que vio fue el cabello dorado de Abby. Lo segundo, sus piernas desnudas y bien torneadas colocadas sobre la mesita auxiliar.

Ella se giró para mirarlo y se puso de pie de un salto. Enfadado consigo mismo por permitir que Abby le afectara en el momento más inoportuno, Cade cerró de un portazo.

–¿Te has recuperado de anoche? –le preguntó entrando en el salón.

Abby volvió a sentarse en el sofá, pero esta vez en el borde.

–Estoy bien. ¿Por qué estoy aquí?

Ignorando su pregunta, Cade dejó la bolsa sobre la mesa.

–Aquí está tu desayuno procolesterol favorito. Come para que pueda volver a gritarte.

Abby se lo quedó mirando durante diez segundos y luego se lanzó sobre la bolsa. Mientras devoraba los dulces, Cade se fijó en su camisa rosa sin mangas y en los pantalones cortos blancos. Aunque tenía la ropa arrugada y la larga melena rubia despeinada, no parecía que hubiera pasado una noche durmiendo la borrachera. Parecía como si hubiera pasado la noche con su amante.

No, no, no. Darle otro giro a su caótica vida no era opción. Y Abby Morrison sería sin duda todo un giro. Algo que nunca había considerado hasta la noche anterior.

Sí, de acuerdo, tal vez pensara que era atractiva y había algo en ella que siempre le había intrigado. Seguramente el modo en que se protegía a sí misma, como si quisiera salvaguardar su vida privada. Pero Abby llevaba trabajando casi un año para él y para su hermano Brady y nunca la había considerado una mujer con la que fantasear.

Hasta ahora.

Cade apretó los dientes y se dirigió hacia la cocina para llevarle un vaso de zumo. No había nada en aquella situación que resultara profesional, sobre todo por su parte.

Debido a su futuro compromiso con Mona Tremane, debía mantenerse concentrado. Mona era justo el descanso que necesitaba desde que su padre les había entregado las riendas a sus hijos antes de morir diez meses atrás.

Tras convertirse en codirector general con Brady, Cade había estado esperando la oportunidad de fortalecer Stone Entreprises y lanzar su empresa inmobiliaria en otros países. Brady estaba totalmente de acuerdo con el lanzamiento global, pero pensaba en ello como en un proyecto posible en un futuro lejano. Cade pensaba en el presente.

El padre de Mona había mencionado un acuerdo de sociedad entre su inmobiliaria multimillonaria y Stone Entreprises... en el que entraba en juego el matrimonio. El hecho de pensar en jugar en otra liga provocó que Cade salivara y estuviera dispuesto a firmar, aunque fuera en una licencia matrimonial.

¿Por qué no pedirle a Mona que se casara con él? Habían ido un par de veces al teatro juntos y ya eran buenos amigos. ¿Por qué no convertir aquella alianza en algo permanente a todos los niveles? Después de todo, su hermano se había casado y parecía disfrutar del matrimonio. Aunque Brady y Sam estaban completamente enamorados... algo que Cade no había sentido todavía por ninguna mujer.

El amor era para algunas personas, y él no estaba incluido en ese grupo. La gente que «se enamoraba» sólo estaba llenando un vacío de algo más. Él era más que feliz llenando cualquier vacío con planes nuevos, coches rápidos y casas en la playa.

Cade se dirigió de nuevo hacia el salón, justo a tiempo para ver cómo Abby mordisqueaba un último trozo de tarta. Cuando se dispuso a chuparse los dedos para limpiar los restos de crema, Cade se aclaró la garganta y entró.

Tenía que olvidar aquella maldita imagen de sus caderas moviéndose sobre el toro.

–Toma.

Cade puso el vaso de zumo sobre la mesa y luego cruzó el salón para apoyarse sobre la mesa del centro. Con los brazos cruzados, se la quedó mirando fijamente en espera de una explicación.

Abby se limitó a devolverle la mirada.

–¿Qué? –le preguntó.

–¿Te importaría decirme por qué bebiste tanto anoche?

Ella alzó uno de sus blancos hombros.

–Soy una mujer adulta, Cade. Quería desatarme, divertirme. Seguro que sabes lo que es eso, ¿verdad?

–No estamos hablando de mí –dijo él apretando los dientes.

–No, en ese caso podrías contarme la razón de este repentino compromiso. Nunca había oído hablar de Mona Tremane.

Cade se incorporó y se puso en jarras.

–Mis asuntos personales no son cosa tuya. Eres mi empleada.

Un destello de dolor cruzó el rostro de Abby, o tal vez Cade sólo lo imaginó, porque al instante alzó la barbilla.

–Tienes razón –reconoció ella–. Y por esa misma razón yo también tengo derecho a salir y divertirme. No necesito que me hagas de papá –se detuvo y agarró el zumo–. Aunque tú me has visto ya más veces que él en toda su vida –murmuró entre dientes.

Su tono había pasado de la indignación a la tristeza, y Cade se sintió atrapado por su red de inocencia.

¿Qué le había pasado a su reservada y digna ayudante? ¿Y por qué era la primera vez que le oía mencionar a su familia?

Porque sólo tenían una relación de jefe y empleada, tal y como él le había dicho. Entonces, ¿por qué de repente eso le hacía sentirse frío y egoísta?

Abby se apartó el revuelto cabello de la cara.

–Estoy demasiado cansada para hablar de esto ahora. Dale mi teléfono a tu prometida. Veré cuándo puedo empezar a organizar la boda.

Cade observó cómo Abby agarraba el bolso y se calzaba las sandalias rosas de tacón. Hizo un esfuerzo por apartar la vista.

–Te llevaré a tu coche.

–Tomaré un taxi –dijo ella sin mirarlo.

Antes de que pudiera llegar a la puerta, Cade le bloqueó la salida.

–Aprovecharemos el trayecto en coche para hablar.

Abby cerró los ojos durante un breve instante antes de volver a abrirlos.

–No estoy en horario laboral, Cade, y nosotros no hablamos de temas personales, ¿recuerdas? Podemos hablar de trabajo el lunes.

–Vamos a hablar de trabajo –le aseguró él negándose a mirar hacia su pecho, que le estaba casi rozando la camiseta negra–. Voy a firmar los papeles para asociarme con Tremane International en cuanto Mona y nos demos el «sí quiero». Deseo que este asunto, tanto el negocio como el matrimonio, haya quedado resuelto en un mes.

Capítulo Dos

Mona Tremane era todo lo que Abby no era. Guapa, alta, con curvas en los lugares adecuados y rica. Abby se sentó frente a la otra mujer, que llevaba un radiante anillo de compromiso con una esmeralda, y trató de sonreír y de asentir en los momentos adecuados.

–No sabes lo agradable que es salir de la oficina unos minutos –Mona sonrió y se inclinó hacia delante en la mesa–. Pero la verdad es que los detalles de la boda no me interesan. Tú eres la experta. Lo que hagas me parecerá bien.

–¿De verdad no quieres hablar de los detalles? ¿Y si no te gusta lo que escojo? –dijo Abby con una sonrisa que confiara que fuera sincera–. Tal vez yo tenga una imagen completamente distinta de la tuya de qué es romántico.

–No tengo tiempo –se limitó a decir Mona–. Además, no hay nada de romántico en este acuerdo. No tengo una venda rosa en los ojos. Cade y yo hacemos esto únicamente por nuestras empresas. Cade confía en que harás un buen trabajo.

Para ser sinceros, no había nada que se le pudiera reprochar a Mona Tremane, y eso era lo que más molestaba a Abby. No le extrañaba que Cade quisiera pasar el resto de su vida con aquella belleza elegante y refinada. Era simpática, profesional... la imagen perfecta de un matrimonio imperfecto.

–Bueno, me alegra que tengas confianza en mí. Va a ser un trabajo arduo, pero he hecho esto antes y creo que todo saldrá bien. Aunque estaremos muy ocupadas las próximas cuatro semanas.

Mona hizo un gesto de rechazo con su mano de manicura perfecta.

–Lo cierto es que tengo que hacer varios viajes de trabajo para mi padre y estaré yendo y viniendo durante las próximas tres semanas. Tienes mi teléfono por si debes preguntarme algo, pero como te he dicho, no me importa demasiado. Te daré mis medidas para el vestido y aparte de eso, tienes carta blanca para todo lo demás.

–No quiero juzgarte –comenzó a decir lentamente Abby–, pero, ¿no es más importante tu boda que el trabajo? ¿No podría enviar tu padre a otra persona?

Mona sacudió la cabeza, agitando su rizado y luminoso cabello por encima de los hombros.

–Como vicepresidenta que soy, hay sitios que necesito supervisar y asuntos que quiero dejar resueltos para poder concentrarme en esta fusión de empresas. Ah, y supongo que también te encargarás de la luna de miel, ¿verdad?

Luna de miel. Abby no quería pensar en aquel concepto, al menos relacionado con Cade y Mona.

–Sí –le confirmó–. ¿Tienes alguna idea al respecto?

–Ninguna –Mona extendió la mano por encima de la mesa y apretó la de Abby–. Tengo confianza en ti. Cade dice que eres la mejor, y estoy segura de que así es.

Abby se sentía una traidora. Aquella mujer era encantadora, y estaba poniendo su confianza en Abby.

Cuando la breve comida tocó a su fin, Abby recogió su bolso y se dirigió a la oficina. Allí esperaba sacarse de la mente el asunto de la boda y concentrarse en el tema inmobiliario.

Con la impresionante cantidad de dinero que iba a conseguir por organizar la boda del año, no sólo pagaría las antiguas facturas médicas de su madre, sino que también podría comprarse una casa y salir de su minúsculo apartamento. La única razón por la que había escogido aquel cómodo estudio era para salir de la casa que había compartido con su madre. Se le deslizó una lágrima por la mejilla.

–Abby…

Al escuchar la voz poderosa y exigente de Cade, Abby se dio la vuelta en la silla y sonrió.

–¿Sí?

–¿Qué te pasa? ¿Estás bien?

–¿Necesitas algo? –le preguntó ella tratando de fingir que no pasaba nada.

Aclarándose la garganta, Cade se metió las manos en los bolsillos de los pantalones.

–¿Cómo ha ido la reunión con Mona?

–La reunión ha ido bien. Sin embargo, voy a estar muy atareada, porque Mona va a pasar mucho tiempo fuera de la ciudad antes de la boda, y luego está mi trabajo aquí...

–Podrás arreglártelas.

La confianza que Cade tenía en ella le halagaba y al mismo tiempo la irritaba. ¿Estaba obviando completamente el hecho de que iba a vivir un auténtico caos, o confiaba completamente en su habilidad?

–Sin embargo, hay un asunto del que deberás ocuparte tú mismo –aseguró Abby antes de que él se diera la vuelta para marcharse.

–Lo que tú decidas estará bien.

Abby se puso de pie.

–No, como novio es responsabilidad tuya planear la luna de miel. Yo normalmente echo una mano, pero eso sucede cuando sólo tengo que organizar la boda con tiempo de sobra. Y como te conozco, no me siento culpable pidiéndote que te ocupes de esa parte. Además, has viajado de sobra para saber dónde poder hacer una escapada agradable.

–No me importa dónde vayamos. Escoge algo y resérvalo.

–No.

Cade alzó las cejas.

–¿Perdona?

–He dicho que no –Abby había conseguido sacar fuerzas de flaqueza–. Las novias quieren algo especial, algo romántico. No quieren que sea la organizadora de la boda la que escoja algo tan íntimo.

Los labios de Cade se alzaron en una sonrisa.

–¿Sólo has estado una hora con Mona y ya sabes todo eso?

Desesperada, Abby puso los ojos en blanco.

–No, lo sé porque soy una mujer y he trabajado con cientos de novias. Todas queremos algo romántico. Tú tienes que ir a Jamaica a ver una propiedad, ¿por qué no aprovechas para echarle un vistazo a algún hotel? Llámalo viaje de negocios si eso hace que te sientas mejor.

Él apretó las mandíbulas y Abby contuvo la respiración. ¿Habría ido demasiado lejos? Nunca le había hablado con tanta dureza.

–De acuerdo –cedió finalmente Cade–. Me marcharé el viernes. Cambia mi plan de las próximas dos semanas y llama al piloto. Mientras esté fuera volaré a Cancún, a Cozumel y a Jamaica. Tengo algunos asuntos que atender.

–Hecho.

–Esta vez no te olvides de guardar la crema de protección en la maleta –le dijo Cade.

–¿Cómo?

–Crema de protección. La última vez que estuvimos en Florida te quemaste durante la reunión que tuvimos en el patio por la tarde.

–Yo no voy a ir –le informó alzando la barbilla.

–Claro que sí –Cade estiró los hombros y se puso las manos en las caderas–. Éste es un viaje de negocios como cualquier otro.

Como sabía que no le haría cambiar de opinión, Abby se giró, tomó asiento y abrió la agenda de Cade en el ordenador.

Cuando oyó cómo se cerraba un instante después la puerta de su despacho, inclinó la cabeza y suspiró. ¿Cómo podía ser Cade el hombre de sus sueños, de sus más salvajes fantasías, si nunca había mostrado ningún interés por ella?

Cade no podía concentrarse. ¿Cómo iba a hacerlo si estaba rodeado del aroma de Abby? Literalmente. Era un aroma muy sutil, como ella, pero de todas maneras le consumía como si lo estuviera abrazando.

¿Por qué había estado llorando? Supo antes de preguntárselo que no iba a abrirse con él. ¿Por qué habría de hacerlo? Nunca le había preguntado antes por su vida personal. Hasta la otra noche, nunca habían socializado fuera del trabajo. Y los viajes de negocios no contaban.

Viajes de trabajo.

¿Por qué había insistido que le acompañara como si fuera otro viaje de trabajo? Porque lo era, se dijo. Buscar destinos para su luna de miel era una cuestión de negocios, igual que la boda.

La fusión de dos gigantes inmobiliarios como los Stone y los Tremane resultaba perfecta. Brady no estaba todavía al tanto de la boda, pero Cade sabía que su hermano apoyaría la fusión de las empresas.

Brady estaría de acuerdo prácticamente con todo en aquel momento porque estaba todavía flotando en las nubes. Ocho meses atrás, Brady partió hacia Kauai decidido a recuperar el hotel de la familia. Pero sus planes cambiaron cuando se enamoró de la actual dueña.

Pero ahora que Brady y su esposa Sam estaban esperando gemelas, Cade estaba al cargo de la oficina de San Francisco mientras los recién casados y futuros padres renovaban el hotel de Kauai.

La puerta de su despacho se abrió y entró su ayudante. Ahora no había ni rastro de lágrimas. Sus ojos desprendían más brillo que unos instantes atrás.

–Voy a quedarme aquí mientras tú buscas destino para tu luna de miel.

Estaba en la puerta con los brazos en jarras. Como se había quitado la chaqueta azul claro que hacía juego con la falda, que le llegaba por la rodilla, la camisa blanca se le apretaba contra el pecho. Cade tuvo que concentrarse en sus brillantes ojos verdes y no en la línea sencilla de su sujetador blanco.

Maldición. No estaría siquiera mirándola ni pensando en su ropa interior si pudiera sacarse de la mente su imagen montando en el toro.

–Irás y cumplirás con tu trabajo como siempre –se detuvo un instante, como retándola a que dijera algo–. Fin de la discusión.

–¿Lo que yo tenga que decir no importa?

Su tono, ligeramente subido, le sorprendió.

–No digo eso. Lo que digo es que harás el trabajo por el que te pago.

–¿Y qué le dirás a Mona?

–No tengo nada que decirle –como no quería perder el control, Cade se puso de pie y rodeó el escritorio–. Vamos a ir de viaje de negocios. Yo estaré trabajando, y tú también. Seguramente habrás ayudado a otros clientes con sus lunas de miel.

–Por supuesto, pero esto es distinto.

–¿Por qué? Ahora trabajas para mí en dos sectores. Necesitaré tu punto de vista para los asuntos inmobiliarios y para la luna de miel. Si no puedes soportar la presión, dilo.

Abby abrió la boca y volvió a cerrarla. La tensión se hizo patente en el despacho y Cade se preguntó en qué estaría pensando. Sabía que el comentario de la presión le calaría hondo. Odiaba que la consideraran incapaz, algo que Cade desde luego no hacía.

Cade se cruzó de brazos, se apoyó contra el escritorio de caoba y esperó. No le importaba quedarse mirándola, pero confiaba en que dijera algo rápido antes de cometer alguna estupidez como estrecharla entre sus brazos y besarla.

–Salimos el viernes por la mañana –dijo Abby apretando los dientes–. A las siete en punto.

Se giró sobre sus talones y dio un portazo tras de sí.

Capítulo Tres

Abby se acomodó en el mullido asiento de cuero del jet privado de Cade y se abrochó el cinturón de seguridad. En otras circunstancias estaría encantada de volar a Jamaica, a Cozumel y a Cancún, pero aquéllas no eran circunstancias normales. Y en cuestión de horas estaría en las maravillosas playas de Cancún.

Cuando Cade salió de la cabina del piloto, Abby encendió su ordenador portátil.

–¿En qué estás trabajando? –Cade se sentó a su lado.

–En la boda.

Cade se puso el cinturón de seguridad y siguió mirando fijamente la pantalla del ordenador.

¿Por qué tenía que estar tan cerca, oler tan bien, y torturarla de aquella forma?

–¿Son ésas las flores que ha escogido Mona? –preguntó Cade refiriéndose a las sencillas y elegantes lilas que había en la pantalla.

–Éstas son las que me gustan a mí. Ella me dijo que hiciera lo que quisiera.

–¿Y por qué te gustan éstas? ¿Por qué no escoger algo tradicional, como las rosas?

Abby levantó la vista y se encontró con los oscuros y seductores ojos de Cade recorriéndole el rostro.

–Porque las lilas hacen que los arreglos florales queden más suaves, más románticos.

–Y tú sabes cómo crear romance para los demás, ¿verdad?

–Yo diría que tú también tienes muchos conocimientos en ese asunto –Abby sonrió y trató de que se abriera para saber si sentía algo real por la mujer con la que iba a casarse–. Menuda piedra llevaba Mona en el dedo.

Cade se encogió de hombros, cruzó los tobillos y colocó las manos sobre el abdomen.

–No sabría decirte. Lo escogió ella.

Abby sacudió la cabeza y se giró para mirarlo.

–No puedes estar hablando en serio. ¿Ni siquiera has escogido el anillo de tu prometida?

–No. Le mandé un correo y le dije que eligiera el que le gustara y me enviara la factura.

Abby sintió que se le congelaba el corazón al escuchar aquella frase.

–Creo que hablo por todas las mujeres del mundo si digo que éste es el peor modo de iniciar un matrimonio.

Cade se rió.

–Tal vez, pero recuerda que Mona y yo no nos metemos en esto por amor. Queremos que nuestras empresas crezcan.

A Abby se le rompió un poco el corazón al pensar en el modo en que aquel hombre tan guapo y poderoso se rebajaba a sí mismo. Si pudiera abrirse a la idea de amar a su compañera, sería un marido maravilloso. Se entregaba a todo lo que hacía. Su esposa sería la mujer más afortunada del mundo.

–No puedo trabajar si hablo contigo de romances inexistentes –le dijo bruscamente centrándose de nuevo en la pantalla–. Además, estoy segura de que tienes cosas que hacer.

La profunda risa de Cade llenó la cabina del avión.

–Pareces mi madre. Terminaba echándonos a Brady y a mí cuando le hacíamos enfadar.

Abby imaginó a los dos niños Stone haciendo travesuras.

–Debes echarla de menos. No hay nada peor que la muerte de los padres.

–Las pocas veces que has mencionado a los tuyos lo has hecho en pasado –Cade se movió en el asiento cuando el avión se dirigió hacia la pista de despegue–. ¿Cuánto hace que murieron?

–Mi padre nunca ha formado parte de mi vida. Se marchó cuando yo tenía dos años, así que no le recuerdo.

Abby se concentró en ir pasando las fotos de arreglos florales en lugar de fijarse en el vacío de su corazón.

–Mi madre murió justo antes de que entrara a trabajar para ti. Fue el momento más duro de mi vida.

–Eres una mujer fuerte.

Las palabras de Cade la acariciaron, rozándole zonas que no debían. El hecho de que alguien como él, un ejecutivo poderoso y valiente, la considerara fuerte era un empujón para su confianza en sí misma.

–No sé –respondió tratando de no desviar el tema–. En su momento hice lo que tenía que hacer. Quería dedicar cada minuto y cada pizca de energía a hacerle lo más feliz posible.

–Eso explica que no haya un hombre en tu vida.

Los dedos de Abby se quedaron quietos sobre el teclado.

–¿Perdona?

–Nunca has mencionado a ningún hombre ni ninguna cita en todo el tiempo que llevas trabajando para mí. Ahora entiendo por qué. Tenías el tiempo limitado.

Limitado. Sí, ésa era la única razón por la que no había salido con nadie. ¿No había tenido ni una cita en un año? Cielos, qué patético.

–Así que pasaste años organizando bodas, creando un aura de romance para otras personas, pero no había romance en tu vida –añadió Cade como si estuviera hablando solo–. Aunque seguramente tendrías perspectivas, caballeros que querían conocerte más a fondo.

Abby se encogió de hombros.

–Algunos. Soy muy quisquillosa.

–Haces bien –reconoció Cade–. Si lo que quieres es casarte y crees de verdad en el amor, no deberías conformarte con nada menos que lo mejor.

Abby se giró para mirarlo y alzó una ceja.

–¿Y tú no te estás conformando con menos?

–En absoluto –Cade sonrió todavía más–. Este

negocio es perfecto para todas las partes implicadas –suavizó el tono al ponerle la mano en el brazo–. La gente no siempre se casa por amor, Abby.

Mirando aquellos ojos oscuros y cautivadores, ella habló desde el corazón.

–Deberían.

–Así que tú estás esperando a que llegue de verdad, ¿no es así? –le preguntó Cade quitándole la mano del brazo.

Abby le ofreció la más dulce de sus sonrisas.

–¿No acabas de decirme que no me conforme con menos?

Y aquel comentario le dio la munición, el valor y la certeza de esperar a que llegara lo que quería.

Y lo que quería era a Cade Stone.

¿No había luchado siempre por lo que deseaba? Así era como había conseguido el prestigioso puesto que ahora ocupaba. Además, si no intentaba al menos abrirse, dejar que Cade viera su lado personal, nunca sabría qué podría haber pasado. Ambos necesitaban conocerse a un nivel personal. En caso contrario, no podría suceder nada serio entre ellos.

Tenían que hacer una investigación para la luna de miel, ¿verdad? Bien, pues tendría que asegurarse de que Cade viera lo que iba a conseguir con su dinero en aquellos lujosos hoteles. Sauna privada para dos, masajes en pareja, cenas en la playa a la luz de las velas…

Abby se mordió los carrillos para evitar reírse como una colegiala.

Cade le había dicho que no se conformara con

nada menos que lo mejor. Y no estaba dispuesta a desobedecer a su jefe.

Cade no estaba muy seguro de qué le pasaba a Abby, pero algo le ocurría. Llevaba actuando de forma extraña desde el pasado sábado. Aquel día se marchó de la oficina como un día cualquiera, pero luego Cade recibió aquella maldita llamada a medianoche para recogerla en el bar porque estaba demasiado borracha para conducir.

Por supuesto, no sabía a qué se dedicaba en su tiempo libre, pero ni en sus sueños más salvajes hubiera imaginado que montaba toros mecánicos.

Y ahora, aunque sus habitaciones estaban la una al lado de la otra, no había visto a Abby desde que se registraron en el Cielo Islandés. Normalmente, en los viajes de trabajo, Abby iba a verle para contarle cuál era el plan que le tenía preparado, hablar de lo que había que hacer antes de salir y sobre lo que iban a encontrarse. Pero esta vez no. Había desaparecido prácticamente.

En su defensa había que decir que estaba trabajando por triplicado. Entre la organización de la boda y la luna de miel, también lo estaba ayudando con la búsqueda de propiedades potenciales en las que invertir.

Cade colgó cuidadosamente la ropa en el armario y cerró las dobles puertas. Como de costumbre, Abby había reservado suites, así que tenía sitio de sobra para moverse a sus anchas. Pero ahora estaba inquieto. ¿Cómo iba a centrarse en su próxima luna de miel si en lo único en lo que pensaba era en Abby y en la desatada sexualidad que ahora sabía que existía en ella?

Abrió las puertas que daban al balcón y salió a respirar el aire fresco y salado de Cancún. El sonido y la visión de las olas del mar resultaban tranquilizadores.

Necesitaba hablar con Brady lo antes posible, pero quería asegurarse de que tanto la boda como los planes de negocio estaban encarrilados antes de soltar la bomba de la fusión.

Al escuchar cómo llamaban a la puerta, Cade se giró y atravesó la espaciosa suite de decoración tropical. Cuando abrió, todos los pensamientos se le borraron de la cabeza. Abby estaba en el umbral vestida con... ¿qué llevaba puesto? Algo fino y delicado que se había colocado alrededor con tantas vueltas que lo único que veía era una tela vaporosa y piel cremosa.

Tenía los hombros desnudos y el cabello con aspecto revuelto. Parecía la imagen de una mujer envuelta en la sábana de su amante después de hacer el amor.

–Ponte algo informal y reúnete conmigo en la playa –dijo Abby–. Tienes cinco minutos.

Y dicho aquello se marchó, dejando a Cade observando la tela que flotaba tras ella.

Comido por la curiosidad, y, por qué no admitirlo, también excitado, se cambió los pantalones y la camisa de vestir por otros informales. Agarró la llave de la habitación y se dirigió directamente a la playa del hotel. Pero se detuvo en seco cuando se encontró con una playa vacía a excepción de Abby con su tela vaporosa, el cabello flotándole por los hombros desnudos y una mesa puesta para dos con velas y flores.

Capítulo Cuatro

Abby estaba hecha un manojo de nervios mientras permanecía de pie al lado de la íntima mesa con las tranquilizadoras olas del mar rompiendo a su espalda. Rezó para que su sonrisa resultara auténtica. A aquellas alturas del plan no podía permitirse aparecer insegura.

–Espero que tengas hambre –dijo con la esperanza de romper la tensión.

Cade, que todavía estaba clavado en el suelo unos cuantos metros más allá, miró a la mesa y luego a ella.

–¿Esto es... para nosotros?

Abby le señaló con un gesto la silla vacía.

–¿Para quién si no? Estamos investigando, ¿recuerdas?

Cade caminó con pasos cuidadosos por la gruesa arena para dirigirse hacia la silla.

–¿Investigando?

–Lunas de miel. Vas a casarte, ¿no es así? Y yo voy a organizar la romántica escapada. Ya lo sé –dijo cortándole antes de que pudiera decir ni una palabra–. No vas a casarte por amor, pero de todas formas necesitaréis tiempo para vosotros.

Abby esperó a que Cade tomara asiento antes

de abrir el champán y servir dos copas. Tras dejar la botella en el cubo de hielo, levantó las tapas de plata de las bandejas y se sentó frente a él.

–Espero que te guste lo que he pedido –Abby sonrió, aunque Cade no había apartado los ojos de ella y se sentía confundida y encantada al mismo tiempo–. Lo he encargado todo antes de que aterrizáramos.

–Estoy impresionado.

Abby sintió una punzada de alegría.

–Sé que te gusta mucho el pescado, así que eso era una elección segura, y también las verduras al vapor. No quiero que te preocupes –le dijo mientras cada uno agarraba su tenedor–. Tengo pensado hacer el trabajo de la empresa durante el día y organizar la boda y la luna de miel por la noche.

–No estoy preocupado. Sé que eres un genio multifuncional.

El pescado se derritió en la boca de Abby y ella trató de no gemir de placer.

–Esto es increíble.

–Sí, lo es.

Al escuchar aquel tono grave y seductor, Abby alzó la vista y se encontró con los ojos de Cade clavados en los suyos... no tenía ni un pedacito de comida en la boca.

¿Estaría sirviendo el ambiente romántico para que la viera bajo una luz diferente? Abby tragó saliva.

–Tengo tu plan para los próximos días, pero me lo he dejado en la habitación. Esta noche no quería hablar de trabajo.

Ahí estaba. Ya había plantado la semilla. Quería que Cade supiera que era una mujer, no sólo una profesional.

Estaba contenta con el resultado. Había tardado mucho en conseguir el look de playa perfecto. Por supuesto, no era ninguna supermodelo alta y delgada como las muchas mujeres con las que Cade había estado en los últimos meses, ni tampoco se parecía a Mona, que era una belleza natural. Pero Abby era consciente de que resultaba atractiva.

–¿De qué quieres hablar? –le preguntó Cade.

En aquel momento comenzó a sonar a lo lejos el arpista que había contratado.

–Las parejas que están de luna de miel no tienen que hablar de nada –Abby se puso de pie y empujó su silla de madera hasta colocarla justo al lado de Cade–. Sólo sentir.

Dejó al descubierto la trufa de chocolate y cortó un trocito delicadamente con el tenedor. Cuando lo sostuvo frente a los labios de Cade, él se limitó a quedarse mirándola fijamente. Sin moverse, Abby alzó las cejas.

Cade abrió la boca, deslizó los labios alrededor del tenedor y tomó el bocado que le ofrecía. A Abby se le secó la boca, y confió en que aquélla fuera la primera cosa que aceptara de las muchas que le iba a ofrecer.

–¿No vas a comer un poco? –le preguntó él con voz ronca.

–¿Estás de broma? No pienso dejar ni un trozo.

Cade sonrió, le quitó el tenedor y procedió a

darle de comer un bocado. Abby abrió la boca sin apartar los ojos de los suyos.

El momento no podía ser más perfecto. Música suave y tranquilizadora sonando detrás de ellos, uno de los hombres más sexys y poderosos del mundo dándole de comer el postre más exquisito... sí, le hubiera gustado congelar aquel momento. Una suave brisa hizo que el cabello le rozara en el hombro. Abby deslizó la mano en los rebeldes mechones y se los subió por encima del cuello. Cade descendió entonces la mirada hacia los senos y ella no pudo evitar desear que dijera algo, que hiciera algo.

El deseo encendió su brillante mirada. Abby dejó que la melena le cayera por la espalda y se puso de pie.

–Vayamos a dar un paseo –dijo tendiéndole la mano para que se la tomara.

Cuando Cade le puso su fuerte y cálida mano en la suya y se levantó de la silla sintió deseos de cantar victoria. Nunca le había tocado las manos así.

–Entonces, ¿es esto lo que te gustaría hacer si estuvieras de luna de miel? –preguntó Cade, sorprendiéndola.

Abby absorbió todo de golpe... el arpa por un lado, las rítmicas olas del mar por otro, el cuerpo lleno con una deliciosa comida y paseando de la mano con el hombre de sus sueños por una playa desierta a la luz de la luna.

–Sería un sueño hecho realidad.

–Entonces espero que algún día consigas tu

sueño –dijo él en un tono tan bajo que apenas pudo oírlo por encima del sonido de las olas–. Te mereces hacer cosas para ti y no sólo para los demás. Trabajas mucho, pero en algún momento tendrás que parar si quieres encontrar a ese hombre con el que dar largos paseos por la playa.

Abby sonrió.

–¿De verdad crees que puedes darme consejos respecto a tomarse un respiro del trabajo? ¿Acaso no estamos trabajando mientras buscamos una luna de miel?

El pequeño encogimiento de hombros y la sonrisa confirmaron que todo lo que le decía era cierto y no podía discutirlo. Aquel gesto le dio fuerzas a Abby y le hizo sentirse más confiada.

Él se paró en seco de pronto.

–Te agradezco de verdad el esfuerzo que estás haciendo.

Abby se giró hacia él, y el ligero movimiento provocó que un mechón de su cabello le cruzara el rostro y se le pegara al brillo de labios. Antes de que pudiera apartárselo, Cade se lo quitó con un movimiento suave, deslizándole la yema del dedo por la mejilla.

La fina tela de su vestido flotaba alrededor de su cuerpo en la brisa. Los pezones se le pusieron duros al darse cuenta de que era la primera vez que estaba delante de Cade con algo sexy puesto, algo que había escogido con la idea de estar aquella noche con él.

–¿Abby?

El tono inquisitivo de Cade le hizo darse cuenta de que el hombre de sus sueños estaba tratando de llamar su atención.

–Lo siento. Estaba soñando con llegar a hacer esto algún día. Con mi marido –se apresuró a añadir.

–¿Quieres venir a Cancún de luna de miel?

Abby se encogió de hombros.

–Cualquier sitio me vale. Podría incluso quedarme en casa si supiera que no van a molestarnos. De eso se trata la luna de miel... de tener intimidad.

–Y de lo que se hace con esa intimidad –preguntó con sonrisa de conocedor soltándole las manos.

Un escalofrío le recorrió a Abby la espina dorsal.

–Exactamente.

Cade se metió las manos en los bolsillos y se acercó más. Transcurrió un instante y luego otro. No se escuchaba nada excepto el arpa y las suaves olas del mar. Debería sentirse incómoda, pero no lo estaba.

El susurro de Cade rompió el silencio.

–¿Por qué no sales con nadie?

–No tengo tiempo.

Cade se acercó más, tanto que ahora sus piernas se rozaban. Tanto que podía sentir sus músculos en los muslos. Oh, Dios mío, ¿iba a besarla? Tenía los ojos clavados en su boca. Abby abrió los labios instintivamente.

La intimidad quedó cortada por la llamada que recibió Cade al móvil. Él soltó una palabrota, dio un paso atrás y se pasó la mano por el pelo antes de sacar el teléfono del bolsillo.

–Stone.

Abby también dio un paso atrás y maldijo a quien hubiera llamado. No le cabía ninguna duda de que había estado a punto de besarla.

–Sí, Mona.

Abby se giró hacia el mar y se abrazó la cintura, como si con eso pudiera evitar el dolor. Cade estaba hablando con su prometida. Aquello era una bofetada de realidad en toda la cara.

Mientras escuchaba el tono grave de Cade a su espalda, Abby supo que podría rendirse y aceptar lo inevitable o seguir adelante con el plan para luchar por el hombre al que amaba, el hombre al que sabía capaz de amar.

Rendirse no era una opción.

Capítulo Cinco

¿Qué diablos le pasaba? Coquetear era una cosa, pero había estado a punto de dar un paso mucho más allá.

Cade cruzó la puerta de su suite mientras se desabrochaba la camisa de algodón. Se estaba maldiciendo desde que abandonó aquel romántico escenario de la playa hacía unos minutos.

Pero había sido una escena mágica. Antes de la oportuna o inoportuna llamada de Mona, según se mirara, había estado a punto de besar a Abby.

¿Besar a Abby?

Era su ayudante. Ni una sola vez durante el año que llevaba trabajando ella para Stone Enterprises había sentido el deseo de intimar con ella. Pero aquella noche, la embriagadora combinación del vestido sexy de Abby, la playa vacía, la cena y el arpa que ella había programado, le hizo preguntarse qué estaría tramando.

¿Por qué diablos estaba sintiendo aquellas cosas nuevas por Abby? Sobre todo ahora que estaba a punto de firmar un acuerdo multimillonario y no podía permitirse ninguna distracción.

Cade agarró el teléfono de la mesilla de noche y marcó el número de la habitación de Abby.

–Hola.

Maldición. Incluso su voz le hacía pensar en sexo en la playa.

–Necesito mi plan de esta semana.

–¿Ahora? –preguntó ella.

–Hace cinco minutos.

Cade colgó el teléfono, molesto consigo mismo por ser antipático con ella, pero más enfadado todavía con Abby por jugar con su libido.

Un minuto más tarde llamaron a la puerta con los nudillos. Cade cruzó el suelo de cerámica color coral, abrió la puerta y se alejó, esperando que Abby le siguiera.

Atravesó la doble puerta para entrar en la zona del salón y se dio la vuelta. Maldición. Seguía llevando aquel vestido que hacía maravillas con su cuerpo, sobre todo con sus senos. Lo que le hizo recordar que él todavía tenía la camisa abierta.

Abby levantó la carpeta que tenía en la mano.

–Tienes una reunión con un contratista mañana a las once. He quedado en…

–¿Qué diablos está pasando?

Abby dejó caer la mano.

–¿Cómo?

–La playa. La cena íntima. Esto es algo más que una investigación para la luna de miel.

Ella puso la mano en una de sus redondeadas caderas.

–No sé qué estás insinuando, pero suéltalo ya.

–Primero la exhibición en el toro mecánico –comenzó él mirándola–. Luego intentas librarte de este viaje de negocios cuando más te necesito, y luego apareces en la puerta de mi habitación como si fueras el sexo envuelto en una sábana. Si Mona no hubiera llamado antes, podríamos haber...

Abby alzó una ceja y sonrió. Tenía el dedo todavía puesto en su pecho.

–¿Qué, Cade? ¿Me habrías besado? ¿Es eso lo que te tiene tan preocupado?

La pasión de los ojos de Abby, el color de sus mejillas y el dulce perfume floral que lo rodeaba hizo que le agarrara el dedo. Tiró de ella hasta que la sintió contra él. La sonrisa de Abby quedó sustituida por una mueca de sorpresa.

Cade no esperó a escuchar otra respuesta impertinente. Cubrió la boca con la suya y mandó al diablo las consecuencias. Necesitaba sentirla, saborearla y, maldita sea, sabía tan bien como olía y como se veía.

Abby se resistió durante dos segundos enteros antes de agarrarse a su bíceps con una mano mientras que con la otra se le agarraba al cuello. Las yemas de sus dedos juguetearon con su pelo.

Cuando Cade le deslizó la lengua entre los labios abiertos, ella gimió y respondió a sus exigentes besos. Aquella mujer estaba llena de sorpresas. La pasión que había visto en sus ojos era real, y se entregaba libremente. Pero Cade quería más.

Como tenía la camisa todavía desabrochada, sólo les separaba la delgada y fina tela del vestido de Abby. Podía sentir sus pezones, y aquello bastaba para volverle completamente loco.

¿Quién hubiera imaginado que habría tanto fuego detrás de su inocencia?

No se saciaba de ella. Como si tuvieran vida propia, sus labios se deslizaron por la línea de su mandíbula y trazaron un camino por su suave cuello. Abby arqueó la espalda y le ofreció más. Pero Cade tuvo la sensación de que, aunque tomara todo lo que ella tuviera no tendría suficiente todavía.

Abby le agarró el pelo con las dos manos, urgiéndole hacia sus senos.

–Cade…

Él se quedó paralizado. Su tono seductor tendría que haberle llevado a rasgar la tela que envolvía su cuerpo lleno de curvas en lugar de devolverle a la realidad. Se apartó de ella con la misma rapidez con que la había atraído hacia sí.

Cade se estremeció. No podía respirar. Habían estado a punto de llevar su relación profesional a un terreno al que no tenía que ir.

–Lo siento –jadeó.

Abby se rodeó la cintura con un brazo y se llevó la mano a los labios húmedos. También estaba temblando.

–No quise… –Cade se giró, aspiró con fuerza el aire y la miró–. No sé qué decir, Abby.

Ella regresó a la mesa en la que instantes atrás había dejado la carpeta. La agarró y se la tendió.

–Aquí está tu plan con la reunión de mañana –dijo atusándose el vestido–. Me temo que yo no podré asistir.

–¿Por qué? –preguntó Cade mirándola a los ojos.

Ella alzó ligeramente la barbilla.

–Creo que será mejor así.

Y dicho aquello, se giró sobre los talones y salió de la habitación.

Lo había estropeado todo. Pero por desgracia, su problema no estribaba en que se hubiera comportado de manera poco profesional o que estuviera prometido a otra mujer. El problema de Cade era que deseaba a Abby Morrison más que nunca. Y cuando quería algo, nunca se rendía hasta conseguirlo.

Había roto la promesa de serle fiel a Mona aunque no estuvieran enamorados. Pero, ¿cómo iba a casarse con una mujer cuando lo único que quería era estar con otra?

Cade le rezó a Dios para que aquello fuera únicamente una atracción sexual. Eso podría manejarlo. Podría vivir sin sexo hasta que se casara con Mona.

Pero tenía la sensación de que allí había algo más que eso.

¿Orquesta o sólo un arpista?

No. Nada de arpas.

Abby resistió el deseo de cerrar de golpe la pantalla de su ordenador. Sencillamente, no podía concentrarse en la organización de una boda... y menos para la del hombre que la había besado como si quisiera devorarla para luego rechazarla.

Pero tenía deudas que pagar, y la organización de aquella maldita boda pagaría todas las facturas médicas de su madre. No podía renunciar. Por mucho que quisiera detener aquel «asunto de negocios», Cade tenía que ver con sus propios ojos que la boda era un error.

En ese caso y sólo en ése Abby le confesaría sus sentimientos. Hasta entonces, si es que alguna vez llegaba a suceder, seguiría trabajando con Cade en un ambiente profesional.

Sin embargo, en el plano personal no podía detener sus planes de mostrarle cómo sería una luna de miel con una mujer a la que amara. Tras aquel beso arrebatador sabía que Cade la deseaba físicamente. Ahora sólo faltaba que viera el amor que quería darle.

Abby suspiró y se sentó en el pequeño escritorio de la suite para enviarle un correo a Mona y preguntarle su opinión respecto a la música. El ordenador emitió un sonido para hacerle saber que había recibido un mensaje. Era de Mona.

–Qué rápido –murmuró.

Abby:
Todo está muy bien. Organiza esto como si fuera tu propia boda. No necesitas consultarme nada, lo dejo todo en tus manos.
Mona

Aquello era una locura. Pero al menos no tenía que consultarle nada más a la otra mujer. Odiaba la idea de hacerle daño a Mona, aunque si no estaba ni remotamente enamorada de Cade, no sufriría.

Al menos Abby confiaba en que así fuera.

Capítulo Seis

Cade aguantó la reunión con el contratista haciendo un esfuerzo por concentrarse. En lo único en lo que podía pensar era en la boca de Abby, en sus suaves suspiros, en sus manos abrazándole el cuello.

Pero cuando la rechazó, ella recuperó al instante la profesionalidad. Hacía un año que la conocía y sólo le había visto perder el control dos veces: en el toro mecánico y el día anterior, cuando se fundió entre sus brazos.

Cuando regresó a su suite se preguntó qué estaría haciendo Abby. ¿Estaría organizando el esquema de su próximo destino? ¿O estaría trabajando en su boda?

En su boda. Ya había engañado a Mona. No, todavía no estaban casados y no, no la amaba. Pero estaba prometido a ella y se había dedicado a besar a otra mujer. El beso era un problema en sí mismo, pero ahora estaba al borde de un desastre todavía mayor. Necesitaba a Abby de un modo que no debería siquiera estar considerando. Había despertado en él unos sentimientos enervantes.

Pero necesitaba concentrarse. Por mucho que sus hormonas adolescentes trataran de controlar sus actos, ahora era un adulto y debía comportarse como tal. Un acuerdo multimillonario dependía de su unión con Mona. Abby sabía lo importante que era para él aquella asociación. Nunca intentaría sabotearla conscientemente.

Cade miró los mensajes de correo en su Blackberry y sonrió ante aquel pensamiento. Abby no estaba interesada en él. Ni una sola vez había actuado como si quisiera algo personal. De hecho, había evitado hablar de su vida privada. Siempre había sido una ayudante organizada y trabajadora.

Cade revisó los mensajes y se encontró con uno de Mona diciéndole que estaba en Roma mirando algunas propiedades. Su siguiente parada sería Florencia, y desde allí se pondría en contacto con él. Mientras Mona viajaba por Italia, Francia e Inglaterra, Cade se concentraría en las islas tropicales y los puntos turísticos... con Abby a su lado.

Una llamada a la puerta le sacó de sus pensamientos. Se metió el teléfono en el bolsillo de los pantalones, cruzó el suelo de cerámica y cuando abrió la puerta se encontró con Abby al otro lado.

–Confiaba en que ya hubieras regresado de la reunión –dijo rodeándole y entrando en la suite–. Tengo noticias inmobiliarias importantes y necesitamos actuar inmediatamente.

Cade echó un vistazo a su sencillo y al mismo tiempo sexy vestido amarillo de verano que le dejaba al descubierto los hombros, sonrió y cerró la puerta.

–¿Qué noticias son ésas? –le preguntó.

–Estaba buscando destinos para una luna de

miel en Puerto Vallarta y me he encontrado con un hotel que va a cerrar sus puertas por falta de turistas.

Cade la escuchó hablar, pero se quedó hipnotizado ante su boca. ¿Cómo iba a mirar aquellos labios rosas sin recordar su tacto contra los suyos?

–Les he dicho que estaremos allí a primera hora de la mañana.

Cade la miró a los ojos.

–¿Cómo?

–En el hotel –se explicó ella–. Les he dicho que iremos a verlo por la mañana. Cuando dije tu nombre, me aseguraron que Stone Entreprises tendría preferencia antes de que pusieran la propiedad en venta.

Sí, Abby era especial. Eficiente y conocedora del negocio... y había protagonizado todos sus sueños de la noche.

–Llamaré al piloto –Cade sacó el teléfono del bolsillo y marcó los números, tratando de olvidar su último pensamiento–. ¿Cuánto tiempo tardas en hacer el equipaje?

Abby ladeó la cabeza y sonrió.

–Estoy lista. Me han bajado ya las maletas.

–Has estado muy ocupada esta mañana.

–Como siempre –Abby pasó por delante de él para dirigirse a la puerta–. Te veo en el vestíbulo.

Y dicho aquello se marchó.

Cielos, ¿qué iba a hacer con aquella nueva Abby? Siempre había sido eficiente y lista, pero al mismo tiempo callada y reservada. Y sin embargo ahora parecía un tornado. Entraba y salía, y había provocado tales daños en su vida en tan poco espacio de tiempo que no sabía si sería capaz de recuperarse alguna vez.

Viajar así resultaba agotador. Abby se sentó una vez más en el asiento de cuero del lujoso avión de Cade y encendió el ordenador.

Cade tomó asiento en el lugar de enfrente. Estaba hablando por teléfono con Phillip de unos asuntos de negocios que a ella no le interesaban. Abby sacó el documento de la boda. Las flores, comprobadas. La música, comprobada. La luz, comprobada.

Los novios que no se amaban, comprobados.

Centrarse en la decoración del banquete y en las fundas de las sillas mantendría su mente apartada del inevitable silencio que sin duda les acompañaría durante aquel vuelo.

Aquella tarde, Abby había representado el papel de su vida. Fingir que era muy profesional y que no estaba temblando todavía por sus besos le había resultado difícil.

Pero aquél no era el momento de regodearse en aquel maravilloso recuerdo. Había trabajo que hacer.

Las fundas en color crema añadirían elegancia a la luz de las velas y las lilas que caerían por los altos y finos jarrones. Mesas redondas, por supuesto, para tratar de mantener un ambiente cálido.

Abby gruñó frustrada, tanto por aquella absurda boda como por el hecho de que quería cerrar el ordenador de golpe y gritarle a Cade hasta que recuperara la cordura. De acuerdo, tal vez actuar como una niña pequeña enrabietada no fuera la solución.

–¿Va todo bien?

Abby alzó la vista y se encontró con Cade mirándola con una media sonrisa. Había colgado el teléfono, y estaba claro que su gruñido había sonado más alto de lo que ella pensaba.

–Todo bien –mintió ella–. Estoy ultimando los detalles para el banquete.

A Cade se le borró la sonrisa.

–Te agradezco el trabajo extra que estás haciendo. No habría podido hacer esto sin ti.

–Podrías haber celebrado una ceremonia sencilla, como tu hermano. Se casó en la playa, ¿verdad?

Cade se encogió de hombros.

–Él estaba enamorado y quería algo íntimo. Yo quiero que todo el mundo presencie la fusión de dos dinastías.

Abby sintió un dolor en el corazón. Aunque no por ella, si no por Cade, que realmente pensaba que aquélla era su opción en la vida.

–No me importa trabajar más –bajó la tapa del ordenador, indicando sin palabras que quería hablar–. Necesito el dinero y tú necesitas mi ayuda.

Los oscuros ojos de Cade la observaron durante un segundo.

–Ganas bastante bien, Abby. ¿Para qué diablos necesitas más dinero? No tienes hijos ni marido. Por lo que yo sé, nunca vas de compras a sitios caros y he visto el edificio de tu apartamento, así que sé que no es demasiado caro –Cade se detuvo–. Lo siento –dijo levantando las manos–. Tus finanzas no son asunto mío.

Abby tragó saliva y lamentó haber escogido sin darse cuenta aquel camino en particular. Lo último que deseaba era que le tuvieran lástima, y menos Cade.

–Tenía muchas facturas médicas.

Él se inclinó hacia delante en el asiento.

–¿Estuviste enferma?

–Yo no, mi madre.

No. No lloraría. Las lágrimas le quemaban en los ojos, pero Abby miró por la ventanilla hacia las algodonosas nubes.

–¿Hace mucho que murió?

Abby lo miró conteniendo las lágrimas.

–Hace poco más de un año.

–¿Justo antes de que entraras a trabajar para la empresa?

Ella asintió, incapaz de seguir hablando.

Cade se desabrochó el cinturón de seguridad y fue a sentarse al lado de ella. Le quitó el ordenador del regazo y lo dejó sobre la mesita que tenían delante. Entonces, en un movimiento que la sorprendió y le enterneció, tomó su mano en la suya.

–¿Justo antes de que mi padre muriera?

–Sí –susurró Abby mirándolo a los ojos.

Él le acarició el dorso de la mano con el pulgar.

–Nunca dijiste nada.

–¿Qué iba a decir? No os conocía, estaba allí para trabajar, no para hacer amigos.

Un amago de sonrisa asomó a labios de Cade.

–Eres una de las mujeres más fuertes que conozco. Te enfrentaste a la muerte de tu madre y luego, cuando mi padre murió, nos consolaste a Brady y a mí.

Avergonzada, Abby apartó la vista.

–No os consolé.

–Tal vez no con abrazos y palabras tranquilizadoras, pero te encargaste de todo en la oficina en el momento más duro de nuestra vida. Nunca lo olvidaré.

Ella se encogió de hombros y volvió a mirarlo.

–Sólo hacía mi trabajo. No tiene importancia.

–Para mí desde luego sí la tuvo, y también para Brady. ¿De qué murió tu madre?

–De cáncer –se le deslizó una lágrima por la mejilla–. Luchó contra él hasta el final. Si soy fuerte lo he heredado de ella.

Cade le secó la mejilla con la yema del dedo pulgar y ella contuvo el aliento. Por mucho que deseara que unos brazos fuertes la abrazaran, no quería ganarse el afecto y la atención de Cade a través de la compasión.

–Necesito volver al trabajo –le dijo–. Mi jefe es un negrero.

Abby se mordió el labio inferior mientras esperaba su respuesta, pero él tenía la vista clavada en su boca.

–En lo último que está pensando el jefe ahora mismo es en trabajo.

Abby cerró los ojos y, que Dios la perdonara, se apoyó en su mano.

–Cade, no puedes decirme esas cosas.

Él le acarició la mejilla.

–No puedo evitar pensarlo.

Al abrir los ojos, vio en los suyos lo que tanto tiempo había anhelado. Deseo.

–No me beses.

Él sonrió.

–No lo voy a hacer, aunque Dios sabe que deseo hacerlo.

–Estás comprometido con otra mujer –le recordó Abby.

–Así es.

–No podemos hacer esto.

Cade sonrió todavía más.

–No estamos haciendo nada. No pondré en peligro la fusión ni a ti, pero tengo que decir que últimamente me estás volviendo loco y no sé por qué.

Abby sí sabía por qué… había estado tratando de volverle loco. Pero se guardó sus pensamientos para sí misma.

Tal vez Cade estuviera entrando en razón. Tal vez quisiera estar con ella.

Pero, ¿serían alguna vez sus sentimientos lo suficientemente fuertes como para que pasara por encima de los negocios? Y en caso afirmativo, ¿estaría dispuesto siquiera a correr el riesgo?

Capítulo Siete

Puerto Vallarta era tal y como Abby lo había imaginado, y se alegraba de haberlo incluido en el itinerario. Brillante, tropical, exótico. Había gente guapa por todas partes, vestida de manera informal pero estilosa. Los vendedores callejeros vendían su mercancía en la calle. Allí podía encontrarse de todo, desde vestidos a bolsos hechos a mano. Tendría que comprarse algo para recordar aquella excursión... como si pudiera olvidar ir saltando de destino en destino con Cade.

La ciudad que quedaba atrás estaba llena de turistas, pero no era muy grande. Abby confiaba en que no hubiera corrido la voz del lugar que querían visitar. Aunque le habían prometido que Stone Entreprises era la primera de la lista, el mundo inmobiliario era despiadado. Cuando el conductor detuvo el coche frente al blanco hotel de cuatro plantas, Abby supo que la cabeza de Cade ya estaba en marcha. Tal vez no demostrara lo ansioso que estaba por comprar su primera propiedad fuera de Estados Unidos, pero Abby sabía que por dentro estaba saltando como un niño la mañana de Navidad.

Tres grandes arcos daban paso al vestíbulo. No

había puertas por ninguna parte. Aquel lugar tenía un aire muy parecido al hotel de Kauai. Y Abby sabía lo mucho que significaba ese sitio para Cade y Brady.

Cade no dejaría escapar esta propiedad.

Cuando el conductor abrió la puerta, Cade salió y extendió la mano para ayudarla a bajar.

–Es precioso –susurró ella cuando su mano encontró la suya.

Cade le mantuvo la mano sujeta mientras la guiaba por el suelo de terrazo. Dos minutos después de su llegada, un hombre nativo y alto vestido con un impecable traje color crema los recibió y los guió hacia una estrecha sala de juntas. Abby tomó asiento al lado de Cade, que hizo lo mismo al lado del dueño de la propiedad.

La reunión duró menos de una hora, y cuando llegaron al coche que les estaba esperando, Cade y su hermano Brady eran los orgullosos dueños de su primera propiedad fuera de Estados Unidos. Abby hizo un esfuerzo por guardarse sus comentarios para sí misma, pero cuando estuvieron en la parte de atrás del Jaguar para dirigirse al hotel en el que se estaban hospedando, se giró hacia Cade.

–¿Estás seguro de que Brady va a estar de acuerdo con esto? –le preguntó.

–Claro que sí.

Cade se había aflojado ya la corbata color cobalto, se había desabrochado los dos botones superiores de la camisa y ahora se estaba remangando la camisa para dejar al descubierto unos antebrazos bronceados.

–¿Estás seguro?

Él se encogió de hombros.

–Lo llamaré por teléfono esta noche y le diré que tenemos que hablar. Aunque preferiría contárselo en persona. También tenemos que hablar del cambio de nombre del hotel.

Abby subió la rodilla al asiento de cuero y se giró para mirarlo.

–¿No sabía que ibas a venir aquí?

Cade le dirigió una mirada insinuando que aquello no era asunto suyo, pero ella no se amilanó.

–Cade –comenzó a decirle en tono suave–, sé lo importante que es para ti ampliar tu negocio a otros países, pero tu padre os dejó su legado a ti y a Brady. Tiene derecho a saberlo cuanto antes.

Cade no le estaba escuchando. Abby vio cómo sus ojos se dirigían hacia su rodilla doblada y volvió a bajarla. Cielos, había olvidado por completo que llevaba puesto un vestido veraniego. No era corto, pero el dobladillo le llegaba justo encima de las rodillas, así que le había visto el muslo desnudo.

–¿Dónde vamos a alojarnos? –le preguntó rezando para que pillara la indirecta y no tratara de besarla ni de hacer nada inapropiado en público.

La oscura mirada de Cade la recorrió de arriba abajo.

–He reservado en una pequeña posada que hay de camino. Pensé que te gustaría el cambio de escenario, así que cancelé la reserva que habías hecho.

Abby sonrió ante la idea de que hubiera pensado en ella.

–Gracias.

–Es lo menos que podía hacer –Cade sonrió también–. Después de todo, tú me has buscado este gran chollo. Quiero llevarte esta noche a cenar a un sitio agradable para celebrarlo.

¿Cenar? ¿A solas con Cade? Oh, Dios mío. ¿Quién estaba seduciendo a quién ahora? ¿Y de verdad quería agradecerle el asunto de la compra del hotel o estaba empezando a sentir algo por ella?

–No hace falta que me des las gracias –le dijo bajándose las falda–. Yo también formo parte de esta empresa. Quiero verla crecer, tal como tu padre deseaba.

Cade sonrió, extendió la mano y le apretó la suya.

–Cuando te contrató no paraba de decirnos a Brady y a mí que serías todo una adquisición.

Sorprendida de que el señor Stone hubiera dicho algo así de ella, Abby sonrió.

–Eso es todo un cumplido viniendo de un hombre de negocios tan importante. Siento no haberlo conocido mejor.

–Yo también. Era el mejor hombre que he conocido jamás.

Como no quería que se quedara pensando en cosas tristes, cambió completamente de tema.

–¿Y dónde vamos a ir a cenar?

–Tengo algo preparado –le aseguró Cade–. Confía en mí. Te gustará.

Quince minutos más tarde, el conductor se detuvo frente a una casa blanca de estuco de dos pisos rodeada de viñedos. A Abby le encantaba que Cade la conociera tan bien como para escoger algo tan sencillo.

Una mujer mayor que llevaba un delantal sobre el vestido y el cabello recogido en un moño suelto los recibió con una sonrisa. Cuando les mostró sus habitaciones, la una situada frente a la otra a cada lado del pasillo, les informó de que el desayuno se servía a las ocho en punto y luego volvió a bajar por la escalera de caracol.

Cade consultó el reloj.

–¿Puedes estar lista en una hora?

–Puedo estarlo en quince minutos.

–¿De veras? –Cade alzó las cejas–. Nunca he conocido a ninguna mujer capaz de hacer algo así.

–Está claro que no te relacionas con las mujeres adecuadas. Pero teniendo en cuenta que estás acostumbrado a salir con mujeres hermosas, tal vez debería tomarme más tiempo. Nunca me complico con el pelo o con el maquillaje, así que no sabría qué hacer.

Aquellos ojos oscuros como el carbón se dirigieron hacia su rostro.

–Siempre serás hermosa. No necesitas complicarte.

Lo dijo en tono bajo y con mirada ardiente. El calor de su respiración le rozaba la mejilla, provocándole escalofríos por todo el cuerpo.

–No creo que sea hermosa...

Cade le tomó la barbilla entre los dedos, se aseguró de que lo mirara y le repitió:

–Hermosa.

Abby tragó saliva sin dejar de mirarlo a los ojos.

–Yo... no sé qué hacer cuando me piropean.

–¿Te da vergüenza? –preguntó él alzando las

cejas. Movió la mano para cubrirle la mejilla y deslizó el pulgar por su piel–. Estoy de acuerdo en que no te pones mucho maquillaje y tu peinado es más sencillo que el de la mayoría de las mujeres, pero eso es lo que te hace extraordinaria. ¿Por qué ensuciar tanta belleza cubriéndola con productos artificiales?

Durante todo el tiempo que le estuvo hablando le acarició la mejilla con la mano. Abby no sabía si quería que parara hasta que descubriera cuáles eran sus auténticos sentimientos o si quería que continuara sin importarle que estuviera comprometido con otra mujer.

Abby tragó saliva.

–Tengo que prepararme para la cena.

Se apartó de su mano y entró en su habitación cerrando la puerta. Se apoyó contra la madera llevándose la mano al pecho.

¿Estaba Cade respondiendo sencillamente a una atracción sexual o la deseaba de un modo más íntimo, más personal?

Abby no lo sabía, pero no iba a actuar de acuerdo a sus sentimientos hasta que estuviera absolutamente segura de que Cade comprendía lo que quería y de que no iba a casarse con otra mujer. Tenía que asegurarse de que ella era la única.

Capitulo Ocho

Cade no sabía qué diablos le estaba empezando a suceder cuando se encontraba a solas con Abby. Había viajado con ella por asuntos de negocios con anterioridad y nunca había sentido la necesidad de arrastrarla a su habitación para hacerle el amor.

Pero su mente continuaba traicionándolo y devolviéndole la imagen de una semana atrás, cuando ella estaba subida a horcajadas sobre el toro.

Pero aquello era puramente físico. En un plano más íntimo, no podía sacarse la imagen del dolor en sus ojos. Cada vez que mencionaba a su madre, un velo de remordimiento se posaba sobre sus ojos verdes. Tal vez la idea de salir a cenar con ella no fuera tan buena. Sin embargo, había algo en Abby que lo intrigaba. Cuanto más tiempo pasaba a su lado, menos pensaba en la boda que se avecinaba.

Cade sacó el teléfono del bolsillo y llamó al padre de Mona.

–Tremane International –respondió la recepcionista.

–Cade Stone. Quiero hablar con el señor Tremane.

–Un momento, señor Stone.

Phillip contestó en menos de diez segundos.

–Cade, qué alegría oírte.

–Sólo quería informarte de que he comprado un hotel en Puerto Vallarta. Está a punto de cerrar, pero creo que con unas cuantas reformas importantes podríamos convertirlo en el mejor de la ciudad.

La firme risa de Phillip resonó a través del teléfono.

–Tú no pierdes el tiempo, ¿verdad? Supongo que estás ahí ahora.

–Así es –confirmó Cade con cierto orgullo.

–Cuando tengas oportunidad, mándame información de la nueva propiedad. Y fotos si tienes.

Mientras Cade se preparaba para su cita... no, para su cena de negocios con Abby, le fue contando los detalles a Phillip. El precio que había pagado, el número de habitaciones que tenía el hotel, sus ideas para la reforma...

–Parece que has pensando en todo –comentó Phillip–. ¿Qué opina tu hermano?

Cade sintió una punzada de culpabilidad.

–Todavía no he hablado con él.

Cade sabía que Brady también quería expandirse globalmente, pero no sabía que para conseguirlo iba a casarse con Mona Tremane. No estaba preparado todavía para soltar esa noticia. Aunque Brady tendría que ser informado pronto de que Phillip Tremane iba a poner el capital para la expansión. Hasta el momento había conseguido mantener el compromiso en secreto para la prensa. Anunciaría sus planes cuando llegara el momento... después de hablar con Brady. Algo que tenía que hacer pronto, porque faltaba menos de un mes para la boda.

–Nos reuniremos todos cuando regreséis de la luna de miel –continuó Phillip–. Mantenme informado.

Cade colgó.

¿Por qué había llamado primero a su futuro suegro en lugar de a su hermano?

Porque tras el encuentro con Abby en el pasillo, necesitaba recordarse a sí mismo que estaba prometido y necesitaba oír la voz de Phillip para convencerse de que estaba avanzando en la dirección correcta.

Aspirando con fuerza el aire, guardó el teléfono móvil en el bolsillo junto a la llave de la habitación y cruzó el pasillo para ir a buscar a Abby. Cuando llamó a la puerta ella respondió al instante.

Abby estaba allí de pie con el cabello recogido en una especie de moño bajo, un poco de brillo rosado en los labios y un vestido sin tirantes amarillo pálido que le llegaba justo a la rodilla. Un par de sandalias doradas de tacón y tirantes le cubrían el tobillo y un poco de pantorrilla.

–¿Ocurre algo? –le preguntó ella.

Cade hizo un esfuerzo por apartar la vista.

–Reitero mi anterior afirmación respecto a tu belleza. Estás impresionante.

Abby se guardó la llave de la habitación en el pequeño bolsito dorado, salió y cerró la puerta.

–Si sigues diciéndome esos piropos se me va a subir el ego.

Cade no se había apartado cuando ella salió, así que ahora estaban muy cerca. No fue capaz de hilar un solo pensamiento coherente. ¿Cómo iba a hacerlo? Los brillantes labios de Abby suplicaban ser besados; sus ojos encerraban tanta pasión que no podía creer que le hubiera pasado desapercibida en el pasado. Y su aroma floral le rodeaba.

–¿Estás listo? –le preguntó ella mirándolo con aquellos ojos verdes y brillantes.

¿Para deslizarle aquel vestido por el cuerpo? Sí. ¿Para llevársela a su habitación o en la suya y perderse en su dulzura? Sí.

¿Para perder un acuerdo multimillonario? Una semana atrás habría dicho que no. Ahora... Bueno, ya no estaba tan seguro. Alzó una mano para hacerle el gesto de que pasara ella delante.

–Vamos.

Distancia. Tenía que mantener las distancias, al menos en el plano personal. Hablar de trabajo y de cómo iban los planes de la boda era lo mejor que podía hacer.

Pero no quería hablar de la boda. Quería saber más cosas de Abby y qué la hacía ser tan... Abby. ¿Cómo había ido a parar a la empresa de su padre aquella mujer humilde y al mismo tiempo tan poderosa? ¿Qué le hizo buscar un trabajo diferente tras la muerte de su madre? ¿Y por qué diablos no se había fijado bien en ella ningún hombre y se le había declarado?

Para cuando Cade salió al exterior estaba sudando ligeramente por el cuello, y no tenía nada que ver con los cuarenta grados de temperatura que hacía fuera, y mucho con la sonrisa radiante de la mujer que estaba delante de él.

–¿Vamos a ir andando? –preguntó Abby.

–No está muy lejos.

Como llevaba aquellos tacones tan altos, Cade la tomó del brazo para ayudarla. Se dijo que aquel gesto no tenía nada que ver con su deseo de acariciarle la suave piel.

Rodearon juntos la casa hasta llegar a un rincón emparrado y lleno de flores. Y tal como Cade había solicitado, había preparada una mesa para dos al lado de una buganvilla rosa y una chispeante cascada que formaba una pequeña laguna al caer.

–¿Vamos a cenar aquí?

Cade sonrió ante su tono de sorpresa.

–Sé que te encantan las cosas sencillas y quería hacer algo que te gustara para demostrarte lo agradecido que estoy porque hayas descubierto ese hotel a tan buen precio.

Ella agitó la mano para quitarle importancia.

–Oh, Cade, sólo estaba haciendo mi trabajo. Ya te lo he dicho. Pero te agradezco el detalle.

Él le tomó la mano y la guió a través del pequeño puente de madera que atravesaba la laguna. La ayudó a tomar asiento.

–Tengo que admitir –reconoció Abby con una sonrisa cuando él se sentó enfrente–, que éste es probablemente el detalle más bonito que ha tenido nadie conmigo.

¿Cómo? Cade no podía creerlo. Pero se alegraba todavía más de haber organizado aquel plan para ella.

Se merecía lo mejor.

Sonrió.

–Si lo hubiera sabido, habría hecho algo más. Esto no es más que una simple cena.

Abby alzó uno de sus sensuales y desnudos hombros.

–He estado mucho tiempo sola cuidando de mi madre y trabajando para pagar las facturas, así que si alguien me mima soy yo misma.

Cade se reclinó en la silla, observó cómo recogía la servilleta del plato y se la colocaba en el regazo. ¿Cómo diablos no se había dado cuenta de lo duro que estaba trabajando? Ni siquiera salía a conocer gente. No era de extrañar que no tuviera pareja. Los únicos hombres con los que se había relacionado eran Brady y él.

–Lo siento –Cade observó cómo Abby alzaba la mirada del regazo donde estaba jugueteando con la servilleta–. Siento que hayas trabajado tanto que no hayas podido disfrutar de la vida. Supongo que di por hecho que cuando salías de la oficina quedabas con tus amigos o... no sé, que hacías algo.

–¿Algo como subirme al toro mecánico? –preguntó Abby alzando las cejas y componiendo una mueca burlona.

Cade se rió, algo que no hacía con demasiada frecuencia.

–No es exactamente lo que te imaginaba haciendo.

Cielos. ¿Había pensado Cade en ella durante las últimas horas? Al parecer sí, ya que acababa de admitirlo.

–¿Qué me imaginabas haciendo, Cade?

Su dulce voz quedó suspendida en el aire.

–Quedando con amigos para tomar algo, yendo de compras o saliendo con un hombre.

–No recuerdo cuándo fue la última vez que salí con un hombre.

Cade tragó saliva.

–¿Estás hablando en serio? ¿Tan duro te hago trabajar?

–No, pero siempre me quedaba después de que Brady y tú os fuerais porque no tenía motivos para volver a casa.

Antes de que pudiera decir una palabra más, llegaron dos mujeres con un carro lleno de platos diferentes. Cuando les sirvieron la comida y volvieron a quedarse a solas, a Cade le preocupó el hecho de que hubiera estado tanto tiempo sola.

–Seguramente harías algo para divertirte.

Abby pinchó un trozo de mandarina de su ensalada.

–Me encanta leer. Sobre todo poesía. También me gusta buscar destinos en la red, y...

–¿Qué? –preguntó Cade cuando ella guardó silencio.

Ella pinchó otro trozo de naranja.

–Es una tontería.

–Pero quiero oírlo.

Con el tenedor cerniéndose sobre el plato, Abby sonrió.

–Busco destinos que me gustaría visitar algún día. Me encanta viajar, pero la única manera en la que puedo permitírmelo, aparte de los viajes de negocios, es a través de Internet.

–Tal vez cuando las cosas se calmen dentro de unas semanas puedas tomarte esas vacaciones que tanto necesitas e irte donde quieras. De hecho, yo te pagaré el viaje. Considéralo como tu gratificación anual.

Los brillantes ojos de Abby se oscurecieron un poco antes de clavarse en su plato.

–No quiero ir sola. Además, ya me estás pagando más que suficiente por la organización de la boda. No puedo aceptar más dinero.

Sí, la boda. Resultaba curioso cómo aquella palabra aparecía constantemente en sus conversaciones privadas.

Capítulo Nueve

La mañana siguiente amaneció soleada y preciosa. Abby y Cade se subieron una vez más al jet privado para buscar otro destino de luna de miel.

Abby sabía que necesitaba pasarse a las «extras» que se suponía que debería estar buscando. Las cenas estaban resultando ser demasiado emocionales. Al menos para ella.

El modo en que Cade seguía interrogándole sobre su estilo de vida sólo servía para hacerle sentir más patética. No se había dado cuenta de lo solitaria que resultaba su inexistente vida social hasta que se escuchó a sí misma hablar en voz alta.

El viaje en avión fue corto. Tan corto que Abby y Cade no cruzaron ni una palabra durante el vuelo. Él estaba ocupado en el teléfono hablando con Mona sobre cómo organizarían la oficina cuando estuvieran casados y Abby estaba organizando el «bendito» día.

Exhalando un suspiro y sintiendo el corazón pesado, cerró el ordenador cuando el avión aterrizó en Cozumel. Se iban a alojar en el Crown Paradise, en la suite nupcial. Así lo había reservado ella. Quería que Cade viera el lujo del que podrían disfrutar una pareja de recién casados.

Por supuesto, cuando cayera la noche Cade y ella no podían dormir en la misma habitación, así que también había reservado otra suite al final del pasillo.

Cuando fueron a registrarse, Abby se le adelantó en el mostrador.

–Yo me encargaré de esto –le dijo–. ¿Por qué no vas a asegurarte de que el mozo no le de ningún golpe a la bolsa de mi ordenador?

Cuando Cade se marchó, Abby esbozó la mejor de sus sonrisas y se registró. El encargado vaciló una décima de segundo cuando vio que habían reservado dos habitaciones. Seguramente no era algo normal cuando se escogía la suite nupcial.

–Es por si nos peleamos –explicó Abby en un susurro.

También pidió que un mozo llevara el equipaje a la segunda suite, no a la nupcial. Cade y ella decidirían más tarde quién se quedaría en cada habitación.

Cozumel era precioso... por lo que había visto en la Red. Estaba deseando ir a bucear por la mañana. Pero primero iban a darse un masaje en pareja. Abby estaba nerviosa y al mismo tiempo emocionada ante la perspectiva.

Abrió el camino por el pasillo y pasaron por delante de los ascensores y de varias habitaciones. La suite nupcial estaba en la planta de abajo y se suponía que era la habitación más grande y agradable del hotel. Cuando Abby encontró las dobles puertas que daban a la suite al final del pasillo, deslizó la llave en la cerradura y esperó a escuchar el clic y a ver la lucecita verde.

Pero cuando abrió las puertas se quedó paralizada. Nada, absolutamente nada la había preparado para aquella gloriosa y romántica habitación llena de pétalos de rosa roja esparcidos sobre la blanca colcha que caían hasta el suelo de cerámica beige.

En la esquina del fondo, más allá de la cama tamaño gigante rodeada de tela de gasa que caía del techo para envolver a los amantes, había una bañera para dos. El baño, que ya estaba lleno de burbujas, también tenía pétalos de rosa.

–¿Ésta es nuestra habitación? –preguntó Cade a su espalda.

Abby sólo pudo limitarse a asentir mientras sus ojos recorrían las puertas del patio que daban a su piscina particular. Cruzó la suite.

El óvalo de la piscina era suficientemente grande para nadar, pero también lo bastante íntimo para los enamorados que iban a ocupar la suite. Alrededor del agua había exuberantes plantas tropicales. La gran variedad de follaje proporcionaba intimidad, pero era lo suficientemente bajo como para que pudieran verse la playa y el mar que quedaban más allá.

Oh, Dios. Aquélla era su habitación. Cade podía quedarse con la otra. Por supuesto, no protestaría si Cade quería compartir con ella todas las comodidades de la habitación, e incluso podían olvidarse de la otra.

–Tiene que haber un error.

Abby se giró para ver a Cade observando todos los románticos detalles. Aparte de los pétalos de rosa y las burbujas del baño, había toallas dobladas en forma de cisnes besándose sobre la cama y un cubo con champán enfriándose en la mesilla de noche.

–No hay ningún error –le informó quitándose las sandalias–. He reservado la suite nupcial. ¿De qué otra forma voy a saber qué es lo mejor para ti y la afortunada novia?

Cade se dio la vuelta y deslizó la mirada desde sus pies descalzos hasta las piernas desnudas. De pronto, los pantalones cortos color caqui y la camiseta sin mangas parecían demasiado atrevidos.

–¿Tú pediste esta habitación? –le preguntó con voz tensa.

–Sí –reuniendo todo su coraje, Abby dio un paso adelante–. ¿Crees que te gustaría algo así para tu luna de miel?

Los ojos de Cade no se apartaron de los suyos.

–Es perfecto.

Abby sintió una nueva oleada de calor por todo el cuerpo. ¿Cómo era posible que hubiera estado enamorada de él antes y de pronto lo sintiera todavía más? ¿Qué sentimiento había más allá del amor?

–Tengo una sorpresa para nosotros más tarde –le dijo ella–. Espero que te guste.

Los ojos dc Cade se clavaron en la cama.

–Seguro que sí.

Abby tenía sentimientos encontrados. Por un lado se sentía encantada de que la viera bajo otra luz. Y por otro, no quería que Cade pensara que aquello era sólo atracción sexual.

–¿Vamos a dormir los dos...?

La voz de Cade se apagó mientras continuaba con la vista clavada en la cama. El modo en que estaba separada del resto de la habitación, con todo aquel material vaporoso rodeándola, la hacía parecer casi como un oasis.

–He reservado otra habitación.

Cade sonrió mientras volvía a mirarla.

–¿No se rió de ti el recepcionista cuando te registraste?

Una risa escapó de labios de Abby, aliviando algo de la tensión que había estado experimentando desde que las puertas dobles se cerraron tras de Cade.

–Un poco. Le dije que era por si teníamos una pelea.

Cade sacudió la cabeza y se rió. No le oía reírse con frecuencia, pero cuando lo hacía, siempre le sorprendía lo natural que parecía.

–No lo haces mucho –le dijo sin pararse a pensar.

–¿A qué te refieres?

–A reírte.

La expresión de Cade se ensombreció un tanto.

–No, supongo que no. Pero últimamente cada vez lo hago más cuando estoy contigo.

Abby se lo tomó como una pequeña victoria. Una llamada en la puerta impidió que lo celebrara demasiado.

–Yo iré –dijo pasando por delante de él.

En cuanto abrió las puertas, dos mujeres con unas mesas plegables de masaje y una bolsa de tela llena de cosas entraron en la habitación.

–¿Qué es esto? –preguntó Cade.

Abby cerró la puerta y se giró.

–Sorpresa. Nos van a dar un masaje.

Él levantó una ceja ignorando a las mujeres que ya estaban colocando las mesas al lado de las puertas del patio.

–¿De verdad?

–Sí. Podemos relajarnos unos minutos y así encarar con más energía el trabajo mientras estamos aquí. Iré a cambiarme –le dijo antes de que ninguno de los dos pudiera cambiar de opinión.

Entró en el cuarto de baño y se quitó la ropa para ponerse el grueso albornoz blanco cortesía del hotel. No había forma de que no se excitara durante el masaje. Sabiendo que estaban en la misma habitación, desnudos y con sólo una ligera capa de aceite de masaje protegiéndoles.

Ah, y dos mujeres desconocidas.

Confiaba en que aquello también le pusiera a Cade un poco nervioso. Sí, quería que perdiera el control. Era demasiado rígido, y quería demostrarle lo que suponía dejarse llevar un poco de vez en cuando.

La boda, por ejemplo. Iba a seguir adelante con aquel plan sólo porque era «lo correcto». Si Cade y Mona estuvieran de verdad enamorados, Abby no haría absolutamente nada para evitarlo, pero sabía que no era así. Cade ni siquiera había visto el anillo de compromiso, por poner un ejemplo.

Abby suspiró y regresó a la habitación.

–Te toca –le dijo con una sonrisa–. Hay otro albornoz colgado detrás de la puerta.

Cuando Cade hubo desaparecido, se quitó el albornoz y se colocó boca abajo sobre la mesa. Le cubrieron el trasero con una toalla y esperó emocionada a que Cade saliera.

Oh, Dios mío, ¿de verdad estaba haciendo aquello? ¿De verdad iba a estar desnuda en la habitación con… su jefe?

Sí, lo haría porque estaba llevando a cabo la lucha de su vida.

No había un momento del día en el que no amara a Cade. No había nada que no hiciera por él si se lo pidiera. Y de ninguna manera permitiría que el hombre del que se había enamorado se dirigiera hacia el altar del desastre.

Capítulo Diez

Cade salió del baño y se encontró con Abby ya preparada en la mesa de masaje, cubierta únicamente con una toalla blanca colocada sobre su mono y redondo trasero.

¿Mono?

¿Qué hombre adulto utilizaba la palabra «mono»? Evidentemente él. Pero así era. Pensaba que el trasero de Abby era mono aunque no quisiera admitirlo.

Se acercó a su mesa dándole la espalda a ella, tratando de sacarse de la cabeza la imagen de aquella piel bronceada y suave.

–Adelante –le dijo ella–. No estoy mirando.

A Cade no se le pasó la mirada escrutadora de su masajista... después de todo, estaban en la suite nupcial. Pero se quitó rápidamente el albornoz sin decir una palabra y se tumbó boca abajo sobre la mesa.

No pudo evitar suspirar cuando una toalla le cubrió y un instante más tarde sintió el cálido aceite seguido de lo que parecían ser piedras calientes a lo largo de la espina dorsal.

–Increíble, ¿verdad?

Cade giró la cabeza en dirección a la relajada voz de Abby y trató de hablar, pero las palabras no salieron. Era imposible que así fuera. Abby tenía la cabeza apoyada en la almohada de sus brazos cruzados... dejando al descubierto el costado de su cuerpo. La curva de sus senos se burló de él.

Cade apretó los dientes y rezó para no excitarse en aquel instante. Pero, ¿cómo podría ser de otra manera?

Abby tenía los ojos cerrados, los rosados labios juntos mientras disfrutaba relajadamente del masaje Él, por su parte, no podía relajarse. Sobre todo en la parte inferior de su cuerpo. Apenas sintió las piedras calientes cuando la masajista las reajustó, ni sintió cómo empezó a masajearle la parte inferior de la espalda.

Lo único que podía sentir era un incómodo latido en la parte que ninguna masajista tocaría.

Cerró los ojos, deseando que se le fuera de la cabeza la imagen de los senos de Abby. Por desgracia, estaba clavada allí y Cade sabía que nada podría desbancar aquella imagen a menos que la viera completamente desnuda. Y eso grabaría otra imagen completamente diferente en su cerebro, una mucho más peligrosa.

¿Cómo iba a casarse con Mona si sentía cosas tan poderosas hacia Abby? No sólo no era justo para ninguna mujer, sino tampoco para él.

Hiciera lo que hiciera, tanto si seguía sus sentimientos lujuriosos por Abby como si buscaba la fusión empresarial con Mona, iba a tener que pagar el precio.

En uno de los supuestos sería monetario, el otro lo pagaría con el corazón.

¿El corazón?

Cade dejó escapar un suspiro profundo y frustrado. Sí, temía que su corazón estuviera empezando a implicarse con Abby y con su seducción. Eso echaba por tierra su teoría anterior sobre los sentimientos lujuriosos.

Y ahora, ¿qué diablos se suponía que tenía que hacer?

¿Le estaría jugando la mente malas pasadas debido al íntimo escenario?

No. Si quería ser sincero consigo mismo, debía reconocer que aquello empezó con aquel maldito toro mecánico. Bueno, al menos el despertar sexual. Pero el respeto y el cariño hacia Abby comenzaron poco después de que entrara a trabajar en Stone Entreprises y viera lo capaz y eficaz que era.

Cade bloqueó el aroma fresco y limpio de los aceites. Bloqueó el sonido de la cascada que había al otro lado de las puertas del patio. Bloqueó los ligeros gemidos que estaba emitiendo Abby mientras disfrutaba de su masaje.

Pero no pudo bloquear el hecho de que si se entregaba a sus deseos, podría despedirse de todo por lo que había luchado.

Sólo había una opción.

Abby se ató el cinturón del albornoz mientras las mujeres recogían las mesas y los aceites y se marchaban. Cade ya se había puesto el suyo mientras Abby cerraba los ojos… o casi.

Ahora estaban solos con sus cuerpos relajados y una intensa energía sexual en el aire. Abby sabía que a Cade también lo afectaba. Había visto cómo sus pesados párpados se deslizaban por la desnuda parte superior de su cuerpo mientras les daban el masaje y él creía que Abby tenía los ojos completamente cerrados. La mayoría de sus gemidos se debían al hecho de que la estuviera mirando como si quisiera devorarla allí mismo aunque hubiera gente delante.

La idea le encantaba. Y sin embargo, quería más. Toda mujer merecía ser amada. Y ésa era otra de las razones por las que no se sentía culpable por Mona.

Cade estaba al lado de la puerta que acababa de cerrar tras las masajistas y Abby seguía al lado de las puertas del patio. Él no dijo nada, pero la miraba como si estuviera pensando qué decir o qué hacer.

Abby estuvo a punto de reírse. Cade Stone sin saber cómo actuar.

–No sé tú –le dijo ella dando un paso adelante con la esperanza de acabar con la tensión–, pero a mí me gusta que me mimen.

–Esto no va a funcionar.

Sus palabras la detuvieron en seco.

–¿Qué?

Moviéndose de una manera lenta y deliberada, como una pantera acechando a su presa, Cade salvó la distancia que los separaba.

–No puedo seguir formando parte de tu investigación sobre lunas de miel.

Abby lo miró a los ojos.

–Si tienes la agenda demasiado ocupada, puedo tratar de ajustarme. Quiero decir, esta investigación es en beneficio de...

Cade la besó.

Sin sujetarla, sin tocarle ninguna parte del cuerpo. Sólo labios contra labios.

Pero todo el cuerpo de Abby se calentó como si le hubiera tocado cada centímetro de piel desde la cabeza hasta los pies.

Tal vez Cade no necesitara tocarla más, pero ella sí necesitaba tocarlo a él. Le pasó las manos por los hombros, se agarró fuerte a él y unió sus cuerpos.

Cade no vaciló. Le rodeó la cintura con los brazos y le arqueó la espalda. Le apartó los labios de los suyos para deslizarle más besos por el cuello y por el escote del albornoz.

Abby gimió mientras los pezones se le ponían duros y se le formaba un nudo de tensión en el vientre. No sabía qué estaba haciendo... qué estaban haciendo los dos.

Bueno, de acuerdo, sí sabía qué estaban haciendo, pero no podía explicar la razón. ¿Por qué ahora? ¿Por qué? Cielos, ¿acaso importaba algo? Sin duda aquél no era el momento de analizar la situación.

Deslizó las manos por las suaves y recién afeitadas mejillas de Cade.

–Cade –susurró su nombre mientras él le abría el albornoz con la boca. El deseo que sentía Abby no se parecía a nada que hubiera conocido jamás. Lo deseaba, deseaba aquello, había querido hacer el amor con él desde que se enamoró... casi un año atrás.

Pero con la misma brusquedad con que la había introducido en aquella nebulosa de pasión inducida, Cade dio un paso atrás, dejándola fría y confundida.

–Ésta es la razón –dijo con voz ronca–. No puedo estar contigo en este escenario y no desearte.

Todavía más confundida y más excitada, Abby se ató el albornoz más fuerte, como si estuviera intentando mantener sus besos dentro.

–¿Me deseas? –le preguntó.

A Cade se le oscureció la mirada.

–Yo diría que es obvio.

–Entonces, ¿por qué me rechazas?

–Abby...

Ella alzó las manos.

–Lo siento. Lo siento mucho. Vas a casarte con Mona.

Le temblaban las manos. Se las metió en los bolsillos del albornoz rezando para que Cade no se hubiera dado cuenta de lo nerviosa que estaba.

Él apretó los músculos de la mandíbula cuando volvió a dar un paso adelante.

–Abby...

Ella le dirigió una sonrisa. El hecho de que estuviera una vez más sin palabras le gustaba. Se sentía confundido, y eso era bueno para ella. Lo que no deseaba era que se sintiera desgraciado.

–De acuerdo –lo tranquilizó–. Me iré a la otra habitación. Haré que te envíen el equipaje y el plan para los próximos días que vamos a estar aquí.

Cade alzó la mano como si quisiera volver a tocarla, pero la retiró con la misma rapidez. A ella le dolía aquella situación. Esperaba que al final todo terminara saliendo bien. Si Cade la amaba, sería la mujer más rica del mundo... y no se refería al dinero.

Si decidía seguir adelante con sus planes de boda con Mona, Abby seguiría trabajando para Stone Entreprises. Necesitaba el trabajo y necesitaba saber que Cade era feliz.

Decidiera lo que decidiera.

Capítulo Once

Cade vació el baño del agua que ahora estaba fría y observó cómo las burbujas se iban por el sumidero. Él estaba sentado al borde, preguntándose en qué momento exacto su vida había pasado de ser perfecta a dirigirse directamente al caos.

El deseo de entrar en la habitación de Abby y mandarlo todo al infierno era muy poderoso... tanto que lo asustaba. Sin duda, si tuviera algún sentido común no la habría besado aquella primera vez, ni mucho menos una segunda.

Aquel último beso les había mostrado tanto a Abby como a él que habían entrado en terreno peligroso. Pero él habría querido más que un beso. Una vez que comenzaron, quiso más. Y lo había tomado.

Cade soltó una palabrota y se puso de pie sacudiéndose el exceso de agua de la mano. Se quitó el albornoz y entró en la ducha para liberar su cuerpo de aquellos aceites esenciales que habían demostrado ser un maldito recordatorio de aquella tarde.

Cuando se metió en la gigantesca ducha en la que la alcachofa arrojaba agua en todas direcciones y por encima de la cabeza, trató de concentrarse en el trabajo. Con la economía tan deteriorada, necesitaba actuar ahora para poder cosechar beneficios más adelante. Estaban cerrando muchos establecimientos debido a la falta de turismo. Cade quería hacerse con aquellas propiedades antes de que se vinieran abajo en ruinas.

El momento no podía ser mejor para que Stone Entreprises se expandiera globalmente, y con ayuda de Mona, Brady y él iban encaminados a conseguir más cosas de las que nunca habían imaginado. Bueno, en cuanto se lo contara a su hermano

Sí, pensó mientras el agua caliente caía sobre su cuerpo. Era el momento perfecto.

Entonces, ¿por qué diablos escogía aquel momento en el tiempo para sentirse sexualmente atraído por Abby Morrison?

Cade apoyó la mano en la pared de azulejo y dejó caer la cabeza, permitiendo que el agua le resbalara por el rostro. Lo que estaba sintiendo, fuera lo que fuera, le estaba haciendo sentirse desgraciado cuando no se encontraba a su lado.

Cade cerró el grifo del agua. Por mucho que se duchara no podría borrar el recuerdo de Abby tumbada boca abajo, el contorno de su seno burlándose de él mientras ella gemía de placer bajo unas manos extrañas. Quería que gimiera así con sus caricias.

Cade le dio un manotazo a la pared, pero no ayudó.

Una suave llamada a la puerta de la suite le llevó a agarrar una de las toallas del calentador.

¿Abby?

Una parte de él deseaba que estuviera al otro lado de la puerta, y la otra deseaba que estuviera encerrada en su habitación tratando de olvidar lo que había sucedido entre ellos.

Cade se sacudió la imagen de dolor que reflejaban los ojos de Abby cuando él la apartó de sí y fue a abrir la puerta.

Una mirada a través de la mirilla le mostró únicamente a un mozo con su equipaje.

Sujetándose la toalla con una mano, Cade abrió con la otra.

–Hola, señor –lo saludó el mozo en español mientras arrastraba el carro con el equipaje por el umbral–. La señorita Morrison le manda esto.

Cade agarró la carpeta que el muchacho le ofrecía.

–Gracias.

Tras darle una propina, Cade cerró la puerta y se sentó al borde de la cama para ver qué le había enviado Abby.

Cuando abrió la carpeta se llevó una pequeña desilusión al encontrar su agenda para sus días de estancia así como información sobre potenciales propiedades que o bien estaban en el mercado o se rumoreaba que tenían problemas.

¿Qué había esperado? ¿Una carta de amor? Ni que estuvieran en el instituto.

Estudió la agenda y vio que Abby había reservado una clase de buceo para al día siguiente por la mañana antes de su reunión con una pequeña inmobiliaria local.

¿Buceo? No tenía ni idea de que a ella le gustaran aquellas cosas.

Había muchas cosas que no sabía de ella, al parecer. La idea de que le gustara la aventura le produjo un cosquilleo en el corazón.

Dejó la carpeta y se quitó la toalla. Como tenía una piscina particular justo al otro lado de las puertas del patio de su «suite nupcial», decidió ir a darse un baño y enfriarse, así que se puso el bañador.

Cade tuvo que admitir que la suite era perfecta para unos amantes. No tendrían por qué salir si así lo deseaban y podían disfrutar de la belleza del mar y de su agua cristalina sin renunciar a la intimidad. Supuso que a Mona le gustaría aquel sitio.

Entonces, ¿por qué cuando pensaba en lunas de miel su mente se dirigía automáticamente hacia Abby?

Se metió en el agua y supo que tenía que hacer unas llamadas importantes.

Las flores, listas. La iglesia, lista. Los cientos de velas, listas. La música, lista.

Abby repasó la lista como hacía todas las mañanas. Los planes estaban saliendo más rápidamente y con más facilidad de lo que había esperado. Cuando a la novia no le importaban en absoluto los detalles, organizar una boda podía hacerse con suma facilidad.

Abby guardó los cambios en el documento de su ordenador portátil y lo cerró. Estaba vestida y lista para ir a bucear con Cade. No habían vuelto a hablar desde el día anterior, cuando prácticamente la había devorado antes de echarla bruscamente.

Aunque no podía culparlo. Probablemente ahora estaría debatiéndose entre un mar de dudas, y Abby sabía que quería hacer lo correcto. Sencillamente, no sabía qué era lo correcto en aquellos momentos. Y en ocasiones ella tampoco.

Agarró una bolsa de playa, metió algo de dinero suelto y la llave de la habitación en el bolsillo interior y la cerró.

Exhalando con fuerza el aire para tomar fuerzas, salió y se dirigió a la puerta de Cade. Confiaba en que no hubiera podido dormir en aquella cama tan grande. Llamó y dio un paso atrás.

Cuando él abrió, Abby tuvo que contener la sonrisa. Parecía agotado. Bien, eso significaba que había estado pensando.

–¿Listo para irte? –le preguntó con su tono más alegre sólo para molestarlo.

Cade deslizó la mirada por su camiseta de playa, los blancos pantalones cortos y el brillante biquini amarillo atado alrededor del cuello. Él se había puesto su bañador azul marino y una camiseta gris que le marcaba gloriosamente el pecho.

–Vamos. Te va a encantar.

–Supongo que ya has buceado aquí.

Cade cerró la puerta tras de sí.

–Muchas veces. Me encanta el mar –levantó la llave–. ¿Puedes guardarme esto en tu bolsa?

Abby deslizó la tarjeta en el bolsillo interior, se puso la bolsa al hombro y caminó al lado de Cade por el escasamente iluminado pasillo. Para sorpresa de Abby, no se encontraba incómoda al verle como pensó que estaría.

Un conductor estaba esperando en la puerta

de entrada para llevarlos a los muelles, donde aguardaba un catamarán.

–Hace un día maravilloso para tu primera aventura de buceo –dijo Cade mientras la ayudaba a subir al luminoso barco blanco.

Abby aspiró con fuerza el aire fresco del mar y el aroma fresco y masculino de Cade. Cuando estuvieron a bordo, el guía les informó de que iban a ir al segundo arrecife de coral más grande del mundo. Como Abby no había visto el primero, estaba segura de que se llevaría una gran impresión.

Había un par de cada cosa: máscaras de buceo, chalecos salvavidas y aletas. Mientras el guía continuaba hablándoles de los peces y las plantas que podrían encontrarse, Abby se quitó la camiseta y la guardó en la bolsa.

Cuando se desabrochó los pantalones cortos y empezó a bajárselos, vio que Cade la estaba mirando fijamente.

Sin apartar los ojos de él, se quitó las chanclas y los pantalones. Con la punta del pie y sin apartar la mirada de Cade, apartó sus cosas a una esquina.

Cuando había hecho la maleta para aquel viaje se había probado todos los trajes de baño que tenía. Deseó tener un dinero extra para comprarse uno nuevo, pero no lo tenía. Al final había escogido su favorito... uno que le marcaba las curvas.

El biquini de dos piezas era sencillo y liso a excepción de la brillante flor roja que tenía en el pecho derecho. La parte de arriba constaba de dos triángulos y tirantes, y la de abajo se ataba a las caderas con unas cuentas rojas a los extremos.

–No puedes entrar en el agua así –bromeó ella con una sonrisa señalando su cuerpo completamente vestido.

Pero la broma cayó sobre ella cuando Cade se quitó la camiseta gris que llevaba puesta encima del bañador azul marino. Decir que tenía músculos era quedarse corto.

Había vislumbrado algo de él el día anterior durante el masaje, pero ahora que estaban el uno frente al otro, obtuvo una visión completa y dolorosa de él

El sol brillaba sobre sus hombros de bronce y lo único que deseaba Abby era arrojar al guía por la borda mientras ella exploraba los secretos del cuerpo de Cade.

–¿Alguna pregunta?

Abby dirigió la mirada hacia el guía, que había estado hablando todo el tiempo sobre las normas de seguridad en el agua.

–Yo no –dijo ella sintiéndose culpable, ya que no había escuchado ni una palabra–. ¿Cade?

Sin apartar los ojos de ella, Cade negó con la cabeza.

–Ya estamos.

Cuando estuvieron equipados, el guía los llevó hacia el final del catamarán, desde donde Cade saltó al instante.

Una vez en el agua le hizo gestos a Abby para que se reuniera con él. Aunque hubiera estado nadando en aguas infestadas por tiburones, Abby habría saltado de todas maneras sin pensárselo dos veces.

Capítulo Doce

Abby cayó al agua y se ajustó la máscara tal y como Cade le enseñó. Cuando él se hubo sumergido en el mar, ella hizo lo mismo y se quedó absolutamente maravillada ante el mundo secreto que había allí abajo y del que ella no sabía nada.

Entendió con facilidad por qué Cade disfrutaba tanto de aquello. Los colores eran tan vibrantes, tan vivos... No podía asimilar tanta belleza de golpe. Tiraba una y otra vez de la mano de Cade para señalarle varios tipos de plantas y de peces y otras criaturas marinas.

De vez en cuando Cade le daba un golpecito en el hombro o en la rodilla, dependiendo de cómo estuvieran nadando, y le mostraba también algo.

Tras lo que le parecieron sólo unos minutos, Cade le hizo un gesto para que se diera la vuelta y regresaran al barco.

Salieron a la superficie cerca de la escalera y Cade la ayudó primero a subir y luego hizo él lo mismo.

–Ha sido increíble –exclamó Abby en cuanto se quitó la máscara.

Cade sonrió mientras se quitaba su equipo.

–Pensé que te gustaría.

–No puedo creer que haya estado toda mi vida

sin hacer esto –se sentó en un pequeño banco, se quitó las aletas y buscó la toalla que tenía en la bolsa–. Quiero volver a hacerlo en cuanto sea posible.

Cade se rió mientras se secaba con la toalla que le había dado el guía. Era propio de Cade esperar que les proporcionaran toallas.

–No tienes más que decirlo –aseguró él secándose las gotitas del pecho–. Tengo un yate amarrado en Los Cabos. Puedo llevarte cuando quieras. El jet puede estar ahí en muy poco tiempo.

En cuanto hubo pronunciado aquellas palabras adquirió una expresión sombría y se le borró la sonrisa. Abby se dio la vuelta mientras se secaba la humedad del pelo.

Ambos sabían que Cade no podría llevarla nunca a su yate cuando se hubiera casado con otra mujer.

Hicieron el camino de regreso en silencio, y también el trayecto en coche camino del hotel.

Cade le dio las gracias al conductor y ayudó a Abby a bajar del coche. Cargó con su bolsa y Abby pensó mientras cruzaban el vestíbulo que parecían una pareja tradicional de luna de miel.

Qué engañosas podían resultar las apariencias.

Caminaron el uno al lado del otro por el pasillo y se detuvieron frente a la habitación de Cade. Él se sacó la bolsa del hombro, recuperó la llave y le devolvió la bolsa.

–Me alegro de que me hayas permitido compartir contigo tu primera experiencia con el buceo.

Abby agarró la bolsa, sintiéndose de pronto algo mareada.

–Yo también me alegro.

–¿Te encuentras bien? –le preguntó Cade–. Estás un poco pálida.

Ella extendió la mano y se agarró al marco de la puerta,

–Estoy bien. Sólo...

Todo se volvió negro.

El pánico se apoderó de Cade cuando el cuerpo de Abby se quedó flojo. Por suerte tenía reflejos rápidos y la sujetó antes de que pudiera golpearse la cabeza o caer al suelo. Manteniéndola con fuerza contra sí, deslizó la tarjeta por la cerradura y abrió la puerta. Tomó a Abby en brazos. A ella se le cayó la bolsa del hombro y fue a parar justo al otro lado de la puerta mientras Cade entraba y la depositaba en la cama

–¡Abby! ¡Abby!

Le dio unas palmaditas en la cara, le retiró el pelo mojado de la frente y rezó para que estuviera bien. Justo cuando había descolgado el teléfono quc había al lado de la cama, Abby se estiró, abrió los párpados y dejó escapar un gemido.

Cade se sentó al borde de la cama y tomó su mano entre las suyas.

–Abby –le dijo, aún aturdido–. ¿Puedes oírme?

Tras unos cuantos parpadeos rápidos, Abby centró su atención en él.

–¿Qué ha pasado?

Un inmenso alivio recorrió el cuerpo de Cade.

–Te has desmayado.

Cuando hizo un esfuerzo por incorporarse, Cade le agarró los hombros y la volvió a tumbar.

–No me he desmayado en mi vida –le informó–. Aunque hace uno minuto me sentí un poco rara.

–Tal vez haya sido por tanto sol –sugirió él, agradecido al ver que las mejillas se le teñían de color.

Abby lo miró alzando una ceja.

–Tú has estado igual de expuesto al sol.

–Cierto. ¿Comiste algo antes de salir?

Ella se quedó pensando.

–No, estuve ocupada repasando los detalles de la boda.

La furia se apoderó de él, pero aquél no era el momento para desatarla. Después de todo, ¿con quién estaba realmente enfadado, con ella por ignorar las exigencias básicas de su cuerpo o consigo mismo por haber ejercido tanta presión sobre ella últimamente?

Cade descolgó el teléfono y llamó al servicio de habitaciones. Pidió langosta, pan, fruta fresca, queso y camarones. Un minuto más tarde, cuando hubo colgado, Abby sonreía.

–¿Qué pasa?

Ella soltó una risita.

–¿A quién tienes pensado alimentar? Yo desde luego no me comeré ni la cuarta parte de lo que has pedido.

Cielos, qué guapa era. Incluso sin asomo de maquillaje, con el cabello colgándole en mechones que todavía no estaban secos. Abby Morrison era mucho más hermosa que cualquier mujer que hubiera conocido, tanto por fuera como por dentro. Y tal vez hubiera pedido demasiada comida, pero quería complacerla.

–Pensé que te gustaría la variedad –dijo confiando en que su voz no sonara demasiado ronca–. Entonces, ¿de verdad lo has pasado bien hoy?

El angelical rostro de Abby se iluminó, y sus ojos verdes echaron chispas. Se colocó de costado doblando un brazo debajo de la cabeza.

–Había todo un mundo nuevo allí abajo. Los colores eran muy vivos. Creo que podría volverme adicta a la vida marina.

Cade la escuchó mientras hablaba del banco de peces que habían visto, y se sintió feliz de haber compartido aquella experiencia con ella. Mientras estaba allí sentado, algo cambió en su interior. Aquel momento parecía tan perfecto, tan... adecuado.

¿Cuándo había pasado Abby de ser su eficiente asistente a convertirse en el alma y el corazón de su vida diaria?

Antes de que pudiera responder a su propia pregunta, alguien llamó a la puerta.

–Servicio de habitaciones.

–¿Ya? –preguntó Abby incorporándose sobre el codo.

Cade agarró la cartera, sacó dinero para la propina e hizo entrar al camarero. Cuando hubo colocado el carro delante de la cama, Cade pagó al hombre y cerró la puerta cuando se hubo marchado.

–¿Qué te gustaría comer primero? –levantó las tapas de las bandejas de plata y las colocó sobre una mesa pequeña que había al extremo de la habitación.

–Por ahora comeré sólo fruta.

Abby se puso de rodillas y colocó las manos sobre el regazo. Tenía el aspecto de una belleza pura e inocente.

–Te la traeré –se ofreció Cade, que regresó a la cama con una bandeja de piña fresca, fresas y arándanos.

Abby sonrió.

–Tiene un aspecto estupendo.

Cade colocó el plato delante de ella y se sentó a su lado con cuidado de no tirar el plato.

De acuerdo, estar tan cerca de Abby mientras ella hundía los dientes en la jugosa fruta y luego se relamía los labios y los dedos era una pura tortura. Pero ya había ido demasiado lejos como para darse ahora la vuelta.

No sabría explicar si era la imagen de Abby cayéndose a sus pies, o el modo tan alegre con el que había hablado de su excursión matinal lo que hizo que la moneda cayera hacia el otro lado. Lo único que sabía era que deseaba a Abby. Quería tenerla en su cama. En aquel instante. Al día siguiente y también al otro.

Y aunque no había recibido respuesta a la importante llamada telefónica que había hecho la noche anterior, no podía esperar un minuto más.

Cuando Abby escogió una fresa madura, él le cubrió la mano con la suya.

–Déjame a mí.

Abby no supo qué ocurrió, pero todo cambió. Cade la alimentó con fresas, limpiándole la boca con la yema del dedo pulgar después de cada mordisco.

Había algo distinto en sus ojos. Algo... ¿se atrevería a soñar?

–Me temo que te he mojado la cama con el bañador –le dijo tratando de averiguar qué estaba pasando.

–Me importa un bledo la cama –le acercó un pequeño arándano a los labios–. Me asustaste muchísimo cuando te desmayaste.

–Lo siento.

Cade deslizó la mirada desde sus labios para mirarla a los ojos.

–No te disculpes. Me alegro de que estés bien. ¿Seguro que no quieres que llame a un médico?

–No, me siento mejor –mordisqueó la fruta–. Sólo necesitaba comer. Seguramente tanta emoción me sobrepasó. No estoy acostumbrada a todo esto.

Cade le apartó un mechón de pelo por encima del hombro.

–Deberías. Deberías tener todo lo mejor que la vida ofrece.

Avergonzada, Abby bajó la vista hacia el plato de fruta.

–Tengo una buena vida, Cade. No necesito que me mimen ni que me den lo mejor de lo mejor.

Él le levantó la barbilla con la mano.

–No estoy de acuerdo.

–Eso es porque tú estás acostumbrado a que te mimen –bromeó Abby, pero él no sonrió. Si acaso, se le oscurecieron todavía más los ojos.

A Abby se le apretaron los pezones contra el biquini, y estuvo segura de que se le mostraban a través de la camiseta.

–Soy un estúpido –murmuró Cade apartándole la mano de la barbilla para cubrirle la mejilla.

Abby no sabía a qué aspecto de su vida se estaba refiriendo, pero confiaba en que no hablara del hecho de estar con ella.

–Negar la atracción que siento hacia ti resulta imposible –le dijo–. Tú haces que sea imposible.

¿Se suponía que debía disculparse? Dios, llevaba mucho tiempo esperando aquel momento. De ninguna manera lo lamentaba. Cade se acercó más, agarró el plato y lo dejó en la mesilla de noche.

–Todo en ti es real. Tu entusiasmo por la vida me impresiona y en lo único en lo que puedo pensar es por qué no te he hecho el amor todavía.

Abby estuvo a punto de volver a desmayarse.

–Porque estás comprometido.

–Lo de Mona y yo no puede funcionar –aseguró Cade.

¿Podría estar realmente enamorado de ella?

Abby apoyó la mano en la muñeca de Cade mientras él le acariciaba la mejilla.

–¿Estás diciendo que quieres hacerme el amor?

Él se inclinó hacia delante, capturó su boca y Abby obtuvo su respuesta.

Ambos se pusieron de rodillas y empezaron a quitarse la ropa. Apartaron las bocas justo lo necesario para sacarse las camisetas por la cabeza y luego se hundieron en la profundidad de sus besos.

Abby seguía sin poder creer que aquello fuera a suceder realmente. Había esperado mucho para estar en la intimidad con Cade, y ahora por fin había acudido a ella.

La lengua de Cade se enredó con la suya y ella sintió cómo el nudo del cuello se le deshacía. Y entonces, gracias a Dios, sus senos quedaron libres y estaba piel con piel con Cade. El vello de su pecho le hacía cosquillas, añadiéndose al excitante efecto que ejercía sobre ella. Le deslizó las manos por los costados hasta llegar al borde de su bañador. Introdujo una mano y lo encontró más que dispuesto. Cade apartó los labios de su boca y gimió mientras tomaba uno de sus duros pezones con los labios.

Se estaban volviendo locos el uno al otro, y Abby no pudo seguir soportándolo ni un minuto más. Le bajó cuidadosamente el bañador hasta las rodillas y se dedicó a desatarse el suyo.

Cade alzó la cabeza y sonrió.

–¿Tienes prisa?

–No sabes cuánta.

Cade se bajó de la cama para dejar que el bañador cayera al suelo.

Mientras sacaba un preservativo de la cartera, Abby se quitó los pantalones cortos y la parte inferior del biquini. Se tumbó boca arriba sobre la cama y admiró el cuerpo desnudo de Cade.

–Cade.

Él miró hacia atrás, recorriendo cada centímetro de su cuerpo ansioso y desnudo. Cuando posó la mirada sobre su rostro y le sonrió, Abby sintió cómo se le esponjaba al corazón.

–Hay algo que necesito decirte.

Con el preservativo en la mano, Cade regresó a la cama y se cernió sobre ella.

–¿No puede esperar?

Ella extendió los brazos y lo atrajo hacia sí.

–Te amo.

Cade apretó los músculos de las mandíbulas, abrió el paquete del preservativo y se lo puso antes de volver a capturar su boca.

El cuerpo de Abby se hundió en la cama mientras Cade se colocaba encima de ella. Abby abrazó el calor, al hombre. Su boca apasionada le cubrió el rostro de besos. Los párpados, la nariz, las mejillas y la línea de la mandíbula.

Cuando se apoyó entre sus piernas, Abby alzó las caderas, urgiéndole a acercarse más.

Finalmente, sí, finalmente, entró en ella. Ninguno de los dos pronunció ni una palabra, si no que se quedaron congelados, ajustándose el uno al cuerpo del otro.

Los ojos de Cade, negros como el carbón, se clavaron en los suyos, y Abby supo que nunca jamás amaría a un hombre como amaba a Cade. Nunca podría llegar a sentir aquel nivel de intensidad con otro, nunca desearía a nadie como a él.

–Hazme el amor, Cade.

Él empezó a moverse lentamente, pero cuando Abby cerró los tobillos alrededor de su espalda y trató de tomar el control, aumentó el ritmo.

Ella no quería que terminara aquel momento, pero su cuerpo iba subiendo hacia la cima y una décima de segundo más tarde perdió todo el control y luchó por mantenerse.

Agarrándose a los resbaladizos hombros de Cade, Abby arqueó la espalda mientras el clímax se apoderaba de ella. Cade le tomó un pezón en la boca y lo succionó, intensificando su placer.

Antes de que pudiera recuperar el aliento, Cade estaba también deshaciéndose. Su cuerpo se puso tenso mientras la poseía con más fuerza, más deprisa.

Abby se colgó de él, emocionada al descubrir lo maravilloso que era cuando aquel hombre que controlaba tanto se dejaba llevar y bajaba la guardia.

En lugar de volver a colocarse encima de ella cuando cesaron sus temblores, Cade se puso al lado y salió de ella, aunque mantuvo un brazo alrededor de su cintura.

Le acarició la piel cálida con caricias suaves y delicadas. Ahora lo único que podía hacer era esperar y pedirle a Dios que Cade no se arrepintiera de lo que acababa de suceder.

Le había dicho que lo amaba, y aunque no obtuvo una respuesta verbal, Abby sabía que aquel hombre no se la habría llevado a la cama si no la amara, al menos todo de lo que era capaz.

Puede que no hubiera reconocido el sentimiento, pero lo que le había demostrado exactamente era amor.

Capítulo Trece

Ella lo amaba.

Cade se pasó la mano por la cara mientras trataba de encontrar las palabras justas para después de lo que acababan de compartir.

¿Cómo era posible que su vida se hubiera convertido en semejante caos? ¿Cómo era posible que sus sentimientos hubieran dado aquel giro?

La respiración suave y acompasada de Abby, combinada con su cuerpo suave y sensual acurrucado a su lado, le dejaron sin palabras. Le encantaba subir y bajar la mano por su suave y plano vientre.

No había palabras para describir cómo se sentía en aquel momento. No había palabras para consolarla, porque Cade sabía que Abby no le hubiera ofrecido su cuerpo si no lo amara de verdad. Era de las que creían en el «y fueron felices para siempre», y en cierto modo él también. Pero la felicidad era algo muy distinto para ellos. La de Cade giraba en torno a fusiones y contratos; la de ella estaba relacionada con el amor y los pasteles de cereza.

–¿Cade?

La tierna voz de Abby le devolvió a la realidad.

–¿Sí?

Ella se giró y apoyó la cabeza sobre la mano mientras lo miraba.

–No te arrepientes de esto, ¿verdad?

La mano con la que le había acariciado el vientre le cubrió ahora la mejilla.

–No.

Aquella sencilla palabra salió de su boca antes de que pudiera retractarse. Pero entonces se dio cuenta de que no quería retirarla.

–Sé que en cierto modo me he pasado antes –le dijo ella colocándose la otra mano en el corazón–. Sé que a los hombres no les gusta hablar de amor, y menos en la cama. Pero sólo quería que supieras cuál era mi posición antes de que fuéramos más lejos.

Cade le cubrió la mano con la suya.

–Eso es lo que te hace tan increíble. Siempre sé lo que piensas.

Aquello no sonaba romántico en absoluto, pensó Cade. Pero él no podía hablarle de amor.

–Esto no supondrá una incomodidad entre nosotros, ¿verdad?

–En absoluto –mintió Cade levantándose de la cama.

Abby volvió a apoyar la cabeza contra la gigantesca almohada blanca. Una enorme sonrisa le cruzó el rostro, y Cade deseó que siempre lo mirara así.

Tenía que hablar con Mona y con su padre. ¿Por qué no le habían devuelto las llamadas? ¿Qué haría si suspendían la fusión en el caso de que se cancelara la boda?

Maldición, no quería que su historia con Abby se abaratara a espaldas de su prometida o quedara limitada a un viaje de negocios.

Debía poner fin a su compromiso.

–¿Cómo te sientes? Me refiero al desmayo de antes –aclaró sonriendo–. ¿Ya no estás mareada?

–Estoy bien. Mejor que bien.

Cade tuvo que apartar la vista para no caer en aquellos hipnotizadores ojos verdes. Se centró en la bandeja que había llevado el camarero.

Agarró una botella de agua y el plato de fruta y se acercó a la cama.

–Creo que necesitas comer un poco más.

Abby se sentó, lo que provocó que la sábana le cayera alrededor de la cintura y dejara sus senos al descubierto. Cade no pudo evitarlo. Sus ojos se clavaron en las rosadas protuberancias.

Ella también había bajado la mirada, y como Cade estaba allí delante vestido únicamente con una sonrisa, no quedaban dudas de que volvía a desearla.

Cade volvió a dejar el plato y la botella en la mesilla de noche.

–No te muevas.

Una vez más, Cade rodeó la cama y se acercó a la esquina. Abrió el agua del grifo de la bañera del jardín y comprobó la temperatura.

Cuando el agua se hubo ajustado a su gusto, vertió el contenido de la pequeña botella de burbujas en el agua. Cuando se dio la vuelta, Abby estaba apenas a unos centímetros de distancia.

–¿Esto es para mí? –preguntó ella.

Incapaz de seguir un segundo más sin tocarla, le rodeó la cintura con las manos y la atrajo hacia sí.

–Es para nosotros.

Se inclinó y le tomó la boca con la suya. ¿Cómo era posible que ya fuera adicto a su sabor, a su tacto? Era una locura, pero así era. Volvía a desearla y no se avergonzaba en demostrárselo.

Apartándose de sus labios, Cade la guió hacia el agua y la ayudó a entrar. Luego la siguió, extendió el brazo y cerró el grifo.

Las iridiscentes burbujas rodeaban el cuerpo de Abby, colgándose de sus senos, el lugar donde la boca de Cade estaba deseando estar otra vez.

Abby se apoyó en el extremo de la bañera, inclinó la cabeza y cerró los ojos.

–Mm, esto es delicioso –gimió con un suspiro.

Los húmedos mechones de pelo le bailaban por encima del agua y las burbujas. Cade no pudo hacer otra cosa que mirar y apreciar la sencillez y la belleza de aquella increíble mujer.

Buscó por debajo del agua, encontró uno de sus delicados pies y empezó a masajeárselo.

–Me amas.

No era una pregunta, pero Abby abrió los ojos de golpe y se le tensó el cuerpo.

–Relájate –le dijo él mientras continuaba frotándole el pie–. Es que no tenía ni idea de que tus sentimientos fueran tan fuertes.

Abby estiró un poco los hombros, pero siguió sin apoyar la cabeza en la posición tan cómoda que tenía antes.

Cade se arrepentía un poco de haber sacado el tema, pero tenía que saberlo.

–¿Quieres que sea sincera? –le preguntó mordiéndose el labio inferior mientras clavaba la vista en las burbujas.

–Por supuesto.

La vacilación sólo duró un instante, pero Cade fue consciente de ella. Estaba más nerviosa de lo que quería hacerle creer.

–Eh –le tiró suavemente del pie para llamar su atención–. Sólo dime lo que estás pensando. Lo mejor es ser sincero.

–Mi madre solía decirme eso.

Cade subió la mano por la pantorrilla y se la acarició.

–Háblame de ella.

Si se soltaba, tal vez podría averiguar por qué, o mejor todavía, cuándo se había enamorado Abby de él.

–Era mi mejor amiga –explicó Abby con una sonrisa triste–. Nunca he conocido a nadie como ella. Luchó hasta el final contra la enfermedad. Tenía una fuerza increíble.

–Ya has mencionado su fuerza con anterioridad –Cade siguió acariciándola con suavidad–. Tienes que ser consciente de que tú tienes la misma virtud. Tu madre estaría orgullosa.

Abby se encogió de hombros.

–No sé. No estoy segura de ser tan fuerte desde que ella murió.

Las manos de Cade se detuvieron.

–Estás bromeando, ¿verdad?

–En absoluto. Deberías haber visto a mi madre. Ella no permitía que nada se interpusiera en lo que quería. Vivía cada día al máximo y dejaba huella allí donde iba.

Cade se limitó a sonreír mientras escuchaba.

–Como te he dicho antes...

Abby sonrió.

–Bueno, si de verdad crees que soy así, entonces es el mejor cumplido que he recibido jamás.

Cade cambió de pie y continuó con el masaje. No quería que se volviera a poner tensa.

–Sigue hablando –la urgió.

–¿Por qué?

–Quiero escuchar tu voz. Quiero saberlo todo sobre ti.

Ella puso los ojos en blanco y se rió.

–Llevo un año trabajando contigo.

La culpa se apoderó del pecho de Cade.

–Pero sigo sin saber apenas nada de tu vida personal. Como lo de montar en el toro mecánico, por ejemplo. Me resultó extraño en ti.

–Y a mí. Nunca había hecho nada parecido con anterioridad.

Cuando Cade hubo terminado con su pantorrilla, se giró para acercarse más a ella.

–¿Qué diablos te llevó a hacerlo, entonces?

Ella lo miró a los ojos.

–Tú.

–¿Yo?

Abby asintió y se movió para colocarse frente a él.

–Acababas de pedirme que organizara tu boda. Estaba triste.

–¿Lo estabas?

¿Por qué diablos no se había dado cuenta?

–¿Por qué?

–Porque te amo.

La sencillez de sus palabras le humilló… y le hizo sentirse como un imbécil.

–Hacía tiempo que sentía algo por ti –continuó Abby–. Querías sinceridad, así que aquí la tienes. Aunque estoy segura de que no era esto lo que querías oír.

¿No? Lo cierto era que Cade ya no sabía qué pensar. De lo único que estaba seguro era de que deseaba a Abby. No sólo su cuerpo, aunque esto también. Quería entrar en su cabeza y conocer todo lo que tenía allí guardado.

Saber que durante todo aquel tiempo había estado ocultando sus sentimientos resultaba increíble. ¿Cuánto tiempo los había mantenido embotellados? ¿Estaba tan decidida a asegurarse de que todos los que la rodeaban eran felices como para haber continuado organizando su boda?

–Quiero saber todo lo que piensas –le aseguró Cade–. ¿Está claro? No te preocupes si quiero oírlo o no. Te digo que quiero saberlo todo de tu vida.

Ella abrió los ojos de par en par y sonrió.

–¿De veras?

Cade asintió. Estaba encantado de estar justo allí, sintiendo la piel de Abby bajo la suya y escuchándola hablar.

–Bueno, en ese caso tengo que admitir que preparé todos estos extras con la esperanza de que me vieras como algo más que tu asistente.

La mano de Cade se detuvo. El hecho de que hiciera tanto por él le halagaba. Sus acciones sin duda decían mucho de sus sentimientos.

Abby se mordió el labio y apartó la vista.

–No me disculparé –afirmó ella mirando hacia otro lado–. No me arrepiento, porque me dio el valor para decirte lo que siento.

–Abby –Cade esperó a que volviera a mirarlo–. No estoy enfadado y no quiero que te disculpes. Tienes que saber que agradezco el hecho de que hayas ido tras lo que querías. No me gustaría estar con una mujer débil o con alguien que no luchara por la persona que le importa.

–¿No estás enfadado?

Cade le subió la mano por el muslo debajo del agua, complacido cuando ella abrió las piernas.

–En absoluto.

Él siguió demostrándole lo mucho que quería darle, lo mucho que quería recibir.

No. De ninguna manera dejaría escapara a aquella mujer. Ni siquiera por un acuerdo multimillonario.

Capítulo Catorce

Hasta el momento el viaje había sido un éxito. Cade había firmado contratos para adquirir un hotel en Puerto Vallarta y le había echado el ojo a otro en Cancún.

Oh, sí, y también estaba el hecho de que Abby le hubiera desnudado su alma y hubiera hecho el amor con él cuatro veces. Aquello estaba sin duda más allá de las expectativas que tenía para aquel viaje.

Pero Cade no le había confesado su amor ni tampoco había mencionado el nombre de Mona.

Abby supuso que podía ver aquello de dos maneras: o era una destroza hogares o Cade ya había hablado con Mona y quería dejarla a ella fuera del lío.

Dios, por favor, que fuera la segunda opción.

Cade le había dicho que no habría boda, pero confiaba en que no lamentara su decisión o terminara culpándola a ella. ¿Estaba la fusión en peligro ahora debido a que ellos habían actuado según sus sentimientos?

Abby volvió a subirse una vez más al jet de Cade. Ahora iban a hacer una visita a Jamaica, aunque esta vez sería muy corta. Sólo pasarían allí una noche. Cade había visto las fotos de un hotel en ruinas y había decidido que no valía la pena lo que pedían por él, pero quería verlo en persona de todas maneras.

Y como no iba a haber boda, tampoco habría luna de miel, así que Abby no tenía que organizar nada.

Durante este viaje tenía pensado tumbarse en la playa con su biquini de flores y una bebida sin alcohol en la mano para relajarse mientras Cade se reunía con el dueño del hotel. Ya le había dicho que no había necesidad de que lo acompañara y que debería tomarse un poco de tiempo para sí misma.

–Vamos a hacer un viaje extra mañana cuando salgamos de Jamaica –dijo Cade mientras se sentaba a su lado y se ponía el cinturón–. Acabo de hablar con Brady y me gustaría pasar por Kauai para hablar con él en persona. Eso te dará la oportunidad de hablar con Sam sobre cosas de bebés.

Abby alzó una ceja y sonrió.

–¿Cosas de bebés?

–Bueno, sí –Cade se encogió de hombros–. A todas las mujeres les gusta rodear a las embarazadas y charlar sobre patucos, pañales y... esas cosas.

Abby se rió.

–Y supongo que Brady y tú hablaréis de temas de hombres, como los negocios, mientras Sam y yo hablamos de... esas cosas.

Los oscuros ojos de Cade brillaron.

–Exactamente.

Cade le tomó la mano durante el despegue y Abby no supo qué pensar. Lo cierto era que no quería pensar en nada, porque si lo hacía empezaría a fantasear respecto hacia dónde se dirigía aquel romance. Temía que sus esperanzas se vinieran abajo al final.

El hecho de que no fuera a casarse con Mona no significaba que quisiera pasar su vida con ella.

Cuando el avión alcanzó la velocidad de crucero, Abby se desabrochó el cinturón y sacó su ordenador portátil.

–No lo hagas.

Abby dejó el ordenador sobre su regazo y lo miró a los ojos.

–¿Hacer qué?

La mano de Cade cubría la suya.

–No trabajes.

–No iba a trabajar.

Cade se vino un poco abajo mientras le apretaba la mano.

–Necesito explicarte lo que pasa con Mona.

–Cade, siempre y cuando seas sincero con Mona, conmigo y contigo mismo, no tienes por qué explicarme nada. Sólo dime que no vas a casarte con ella.

Dios mío, ojalá pronunciara aquellas palabras. En caso contrario, ella no sería más que una escoria. Y él también.

–De acuerdo –contestó él.

Aquello no era lo que necesitaba escuchar.

–¿Es porque sientes que la has engañado? –quiso saber Abby–. ¿O porque ves que estaría mal pasar el resto de tu vida con alguien por una cuestión de negocios?

Cade suspiró, extendió la otra mano y le apartó el pelo de la frente.

–Porque no siento esto cuando estoy con ella.

Un escalofrío de felicidad le recorrió el cuerpo.

Oh, ¿estaría bromeando? Sintió tanta alegría que pensó que iba a hacer explosión.

–¿Y qué es lo que sientes? –se atrevió a preguntarle.

Cade le escudriñó el rostro.

–No puedo definirlo. Sé que me amas y que quieres que yo también te lo diga a ti, pero…

Abby le puso un dedo en los labios.

–Sólo quiero que me lo digas si lo sientes, no por obligación. Prefiero que seas completamente sincero conmigo.

Cade le agarró la muñeca y le apartó la mano.

–Por eso eres tan especial. Siempre das sin esperar nada a cambio.

El resto del corto viaje se hizo en silencio, y Abby no pensó ni una sola vez en el trabajo.

Estar tumbada en la playa tras haber hecho el amor con el hombre de sus sueños era precisamente la clase de relajación que Abby necesitaba.

Fantasear con estar con Cade y sentir cómo desplazaba sus fuertes manos por su cuerpo mientras le daba placer era un sueño hecho realidad.

Abby no había imaginado que sería tan atento a sus necesidades en la cama. Sinceramente, sus pensamientos no habían llegado tan lejos. Para ser un hombre que sólo vivía para el trabajo y que mantenía el control en todos los aspectos de su vida, se había mostrado muy relajado. Siempre al mando, pero más sensible.

El tiempo que pasaban juntos quedaba completamente fuera de la realidad, y sucedía en un lugar donde sólo existían ellos dos.

Abby estiró los brazos por encima de la cabeza y se recolocó sobre la tumbona mientras el sol le bañaba la piel.

Aunque Cade no había confesado que la amara, Abby no podía negar el hecho de que demostraba que así era con sus actos. Había dicho que no creía en el amor, pero Abby tenía la sensación de que tal vez lo estuviera considerando.

Y aunque no podía evitar que sus esperanzas crecieran, también tenía que tener en cuenta que Cade siempre era sincero. Nunca le mentiría ni la traicionaría. Si no hubiera querido estar con ella no lo habría hecho.

Abby se giró para que le diera el sol en la espalda. Apoyando la cabeza en la almohada que había hecho con los brazos, cerró los ojos y revivió por enésima vez cada segundo de los momentos íntimos que había compartido con Cade.

¿Qué mujer no hacía eso? Recordar sus momentos de intimidad era lo que la ayudaba a sobrellevar la espera mientras él volvía de una reunión de negocios. Quería vivir otra noche como la que habían compartido. Y otra. Y luego otra.

Había colocado las necesidades de los demás por encima de las suyas propias durante demasiado tiempo. Ahora había llegado el momento de que Abby fuera feliz y nada le hacía más feliz que esperar el regreso de su amante.

Bueno, las cosas habían salido como esperaba, pensó Cade mientras cruzaba las puertas que llevaban a la playa de arena blanca.

Abby le había dicho que estaría todo el día tomando el sol mientras él celebraba su reunión con un agente inmobiliario y el dueño de la propiedad. Pero la reunión duró sólo dos horas y Cade supo que aquélla no era una inversión para Stone Enterprises. Había llegado el momento de subirse al jet rumbo a Kauai.

Pero se detuvo sobre sus pasos cuando vio a Abby sentada en una silla de playa azul y blanca con una bebida en la mano y la manita de un muchacho en la otra. Incluso desde la distancia se escuchaba la risa de Abby, que llegó flotando hasta él.

¿Celoso? No, ¿cómo iba a estarlo? Estaba encantado de saber que aunque los hombres coquetearan con ella, él era el dueño de su corazón. Había escuchado con anterioridad a otras mujeres declararle su amor, pero sabía que el regalo de amor de Abby era genuino.

Pero esto le abría los ojos un poco más respecto a la mujer que Abby Morrison era. Podía tener a cualquier hombre. ¿Qué hombre no querría a una muchacha sencilla, inteligente y sexy? No necesitaba que nadie le dijera lo afortunado que era.

Cade se acercó a ella y descubrió que el muchacho al que le estaba sosteniendo la mano no era más que un niño.

–Abby.

Ella giró la atención hacia él con una enorme sonrisa.

–Cade, ¿has terminado ya?

Él asintió.

–Así es.

Abby se giró, dijo algo en un idioma que Cade no comprendió y el niño salió corriendo con una sonrisa enorme en la cara.

–¿En qué idioma estabas hablando? –no pudo evitar preguntarle.

Abby echó las piernas hacia un lado, agarró el bolso de playa naranja y se puso de pie.

–Patois. Es la lengua nativa.

Cade dio un paso atrás y la dejó pasar. Abby se acercó a la acera y a él le costó trabajo mantener su paso con sus malditos zapatos de vestir.

–Espera –dijo sujetándole el codo y deteniéndola–. ¿Hablas el idioma nativo de Jamaica? ¿Dónde diablos lo aprendiste?

Ella se encogió de hombros.

–Viví un tiempo en Miami hasta que fui al instituto y mi madre fue destinada a San Francisco. Mi mejor amiga era jamaicana.

Volvió a darse la vuelta y comenzó a caminar por el vestíbulo del hotel hacia el coche que los estaba esperando.

Cade iba unos pasos más atrás, pero él estaba divertido y asombrado ante sus ocultos talentos.

Cuando estuvo sentado a su lado en el coche, en el cómodo asiento de cuero, Cade se giró para mirarla. Abby cruzó las piernas y Cade no pudo evitar fijarse en que no se había tapado con nada. ¿No se había cambiado a propósito para torturarle? Había piel suave y brillante por todas partes, y ahora el interior del coche no olía a cuero caro, sino a aceite de coco.

Pero a Cade le importaba un comino lo que la loción estaba provocando en los asientos. Pagaría para que los reemplazaran si era necesario. En aquel instante lo único que quería era subir a Abby al avión y meterla en el dormitorio que había. Aquélla era una de esas ocasiones en las que se alegraba de haber instalado un dormitorio en el jet privado.

–¿Y de qué estabais hablando?

–El niño me había preguntado si quería que me hicieran trencitas en el pelo –se explicó Abby–. Le di un billete de diez dólares y le dije que no necesitaba que me hicieran nada, pero que podía utilizar el dinero para comprarle algo bonito a su madre. No con tantas palabras, por supuesto. Hablé más bien en plan esquemático.

Cade le tomó la mano, deslizó los labios por sus nudillos y sonrió.

–Eres increíble, ¿lo sabes?

–Últimamente me lo dices mucho.

–Es porque he abierto los ojos hace poco.

Abby sonrió, retiró la mano de la suya y rebuscó en la bolsa de playa. Cuando sacó un pareo rojo brillante, Cade la detuvo.

–No te lo pongas.
–¿Por qué?
Él le quitó la tela transparente de las manos.
–Porque te quiero exactamente así cuando subas a bordo de mi avión. Quiero quitar las menos prendas posibles.
Abby abrió los ojos de par en par y sonrió todavía más.
–¿Quieres que tu piloto me vea subir a bordo del avión el biquini y chanclas?
Cade sacó el teléfono móvil del bolsillo justo cuando el coche se detuvo en el aeropuerto.
–Simon, por favor, quédate en la cabina. La señorita Morrison y yo tenemos prisa. Por favor, enciende los motores.
–Tenemos prisa, ¿eh? –se burló ella alzando una ceja.
–Sin duda.

Capítulo Quince

Kauai era sin duda el lugar más hermoso que Abby había visto en su vida. Siempre había oído a Cade y a Brady hablar del hotel, pero no podía creer que nunca les hubiera escuchado hablar de la belleza de la exótica isla.

Por todas partes había gigantescos hibiscos con flores de todos los colores. Las colinas y los valles estaban cubiertos de verde y exuberante vegetación. Y en la base de todas las plantas tropicales se encontraba la playa de arena más blanca que había visto jamás. Y el mar. Oh, las aguas turquesas estuvieron a punto de dejarla sin respiración. En la distancia, las montañas parecían rodear y proteger toda aquella belleza.

–¡Abby!

Abby se giró al escuchar el grito y vio a Sam tratando de correr mientras se balanceaba como un pato por la zona del vestíbulo. Las dos mujeres sólo se habían visto una vez con anterioridad, pero habían chateado y hablado por teléfono muchas veces desde que Sam se casó con Brady, el hermano de Cade.

–Mírate –Abby abrazó a la embarazadísima mujer y luego se echó hacia atrás para volver a mirarla–. Sigues estando guapísima.

Sam puso los ojos en blanco.

–Uf, estoy rivalizando en peso con los delfines que hay allí fuera –señaló hacia el mar–. ¿Dónde está mi cuñado?

–Aquí mismo.

Cade cruzó la zona abierta del vestíbulo. Como le ocurría siempre, a Abby se le aceleró el corazón. La suave brisa del mar le alborotaba el oscuro cabello, y su brillante y blanca sonrisa destacaba sobre su piel bronceada.

Y acababa de hacerle el amor de forma apasionada a bordo de su jet, no sólo en la cama, sino también en la ducha. Abby apenas había tenido tiempo de recogerse el cabello en un moño atado a la nuca y de ponerse un par de sandalias blancas y un vestido de playa rosa.

Cade se interpuso entre las dos mujeres y abrazó a Sam.

–Estás muy guapa. ¿Dónde está Brady? No puedo creer que te haya perdido de vista durante más de un minuto.

–Yo tampoco –se rió Sam–. Es muy protector con sus chicas.

Abby observó cómo la otra mujer se pasaba la mano por el protuberante vientre. Estaba segura de que fue un gesto inconsciente, y sin embargo cargado de amor.

Sam y Brady eran dos de las personas más generosas que Abby había conocido en su vida; no era de extrañar que se hubieran sentido atraídos el uno hacia el otro al instante.

–Cade, Abby –Brady se dirigía hacia ellos.

–Te lo dije –murmuró Sam con una sonrisa mientras se giraba hacia su esposo, con el que sólo llevaba siete meses casada.

Brady deslizó la mano por la cintura de Sam, o por donde estaba antes la cintura, y la atrajo hacia sí.

–Ya era hora de que sacaras a Abby de esa oficina para que viera el resultado de su trabajo.

–Oh, no me importa –le dijo Abby–. Pero tengo que admitir que éste es el lugar más hermoso que he visto en mi vida.

–Eso es lo que queremos oír –contestó Brady antes de centrar la atención en su hermano–. ¿Cuánto tiempo vais a quedaros?

Cade se encogió de hombros.

–Unos cuantos días. Tenemos algunos asuntos de los que hablar contigo personalmente y a mí me gustaría tomarme un día de relax.

Brady alzó las cejas.

–¿Relax? ¿Cade Stone?

–De vez en cuando sucede –se defendió Cade.

Abby abrió la boca, y antes de que pudiera pensárselo mejor, preguntó:

–¿Cuándo?

Brady echó la cabeza hacia atrás y soltó una carcajada. Sam se rió entre dientes aunque trató de mostrarse educada, y Cade se quedó mirando a Abby.

–De acuerdo, tal vez no lo haya hecho desde que tú entraste a trabajar con nosotros, pero lo hacía cuando nuestro padre estaba al frente de la empresa.

–Yo no lo recuerdo –le regañó Brady–. Pero tengo que decir que ya era hora de que así fuera y que me encantará teneros aquí el tiempo que queráis.

Abby estaba encantada con la perspectiva de pasar un tiempo en la isla que tanto significaba para los hermanos Stone y para la empresa. Aquel hotel fue la primera propiedad que compró su padre. Luego le fue robada por el padre de Sam, y hacía poco que Brady y Cade habían vuelto a recuperarla.

Abby no conocía todos los detalles que rodeaban a Lani Kaimana, que significaba «diamante real», pero sabía que en algún momento, en medio de todo aquel lío entre empresas, Brady y Sam se habían enamorado y ahora estaban esperando gemelas.

Aquélla sí que era una historia romántica. Estaba esperando que Sam le contara todo más tarde. Seguro que una mujer que le sonreía tanto a su hombre estaría encantada de contar todos los detalles sobre su camino al altar.

–Pongámonos a trabajar para que luego puedas dedicarte a esa relajación –le dijo Brady a Cade.

Sam se inclinó para darle un beso a su marido en la mejilla.

–Utiliza mi despacho. Es más grande.

Él la abrazó con una sonrisa.

–Siempre tienes que presumir.

Abby miró a Cade esperando… ¿qué? ¿Un abrazo? ¿Un beso?

No. Eso no estaba en su agenda.

Deseó que no le doliera, pero no podía detener sus pensamientos, del mismo modo que no podía detener las mareas.

Cade miró hacia ella mientras se ponía en marcha con su hermano.

–Nos veremos más tarde.

Abby se limitó a asentir y a tragar saliva para pasar el nudo que tenía en la garganta. Aquél era el hombre que acababa de darle un nuevo sentido al mundo de la aviación, ¿verdad?

¿Se estaba mostrando distante porque ahora se había puesto en actitud de trabajo o porque estaba con su hermano Brady?

–Estar enamorada es horrible a veces, ¿verdad?

Abby apartó la mirada de la espalda de Cade y se quedó mirando a Sam.

–Sí.

Estaba claro que la mujer había estado en la piel de Abby, en caso contrario no sería capaz de haberla descifrado tan fácilmente.

–Bueno, tú lo estás haciendo mejor que yo. Yo negué durante mucho tiempo que estuviera enamorada –Sam tomó a Abby de las manos–. Vamos. Vayamos de compras y a comer chocolate sin parar.

Abby se rió.

–Tú puedes comer todo el chocolate que quieras porque tienes una razón. A mí me basta con pronunciar la palabra para engordar un kilo.

Como si fueran viejas amigas, Sam le pasó a Abby el brazo por el hombro y la guió hacia la entrada principal, donde esperaba un chófer.

–Oh, ojalá pudiera tener una figura de chica de

calendario tan sexy como la tuya –dijo Sam mientras el chófer les abría la puerta–. Te diré qué vamos a hacer. Yo comeré un montón de chocolate mientras tú me miras y tú puedes probarte ropa que no lleve banda elástica mientras yo te miro. ¿Trato hecho?

Abby asintió mientras se metía en el coche.

–No tengo nada que decir en contra.

–¿En qué diablos estabas pensando?

Cade sabía que el bombazo no caería bien. Y sólo había soltado la mitad.

Brady dio un manotazo sobre la mesa de Sam, haciendo que uno de las fotos enmarcadas se volcara.

–¿Te has comprometido con Mona Tremane por la absurda idea de que necesitábamos expandirnos globalmente y no podíamos hacerlo solos?

Cade no estaba de humor para pelearse, así que se reclinó sobre la silla negra y cruzó el tobillo sobre una de sus rodillas. Tal vez si mostraba una actitud despreocupada respecto a la situación, Brady se calmaría.

O tal vez no.

–Básicamente sí.

Brady se pasó la mano por el pelo.

–¿Y cuándo es el gran día?

Buena pregunta.

–Es complicado.

–Porque estás enamorado de Abby.

A Cade se le detuvo literalmente el corazón durante una décima de segundo. ¿Cómo podía Brady dar por hecho algo semejante cuando él todavía no sabía qué nombre ponerle a aquel recién descubierto sentimiento?

–Si estás pensando en decirme alguna mentira, no te molestes –continuó Brady–. Sé desde hace meses que vosotros dos ibais a terminar juntos.

–¿Meses? ¿De qué diablos estás hablando?

Brady se encogió de hombros.

–He visto el modo en que discutís en la oficina por cosas absurdas, como si fuerais una pareja que llevara años casada. Y también he visto cómo la miras cuando ella no te está mirando embobada.

¿Cómo? ¿Abby había estado enviando señales, y la única persona que debería haberlas recibido, que era él, no lo había hecho?

–Es imposible que sepas lo que siento –le corrigió Cade, sintiéndose de pronto mucho menos relajado–. Volvamos al asunto de la fusión empresarial con los Tremane.

Brady se reclinó en la silla y sonrió.

–¿Fusión empresarial? Eso me confirma con claridad que no deberías seguir adelante. Y tú también deberías darte cuenta.

Cade no dijo ni una palabra. ¿Cómo iba a poner en duda la verdad?

–Ya he decidido que no puedo casarme con Mona –confesó–. No puedo hacerle eso a Abby.

–Ni a ti mismo –añadió Brady.

Cade guardó silencio

–Entonces, ¿qué vas a hacer?

Cade se encogió de hombros.

–No tengo ni idea. Cuando empecé con este plan nada iba a detenerme en mi idea de expandirnos globalmente, tal y como papá quería. Pero ahora...

–Ya que estás hundido, me gustaría golpearte un poco más –el asiento de Brady crujió cuando se inclinó hacia delante y apoyó los codos en el escritorio–. ¿Por qué diablos no hablaste de esto conmigo? Somos socios, por no mencionar que también somos hermanos, y no te habría permitido de ninguna manera seguir adelante con esa boda.

–Sinceramente, vi la oportunidad y me lancé sobre ella. Sabía que no ibas a estar de acuerdo y que tratarías de convencerme para que no lo hiciera.

Cade tragó saliva y se dio cuenta de que se había saltado la parte más importante de su confesión.

–Le pedí a Abby que organizara la boda.

Brady soltó una palabrota y sacudió la cabeza.

–¿Quieres matar a esa pobre chica? ¿No sabías que su madre falleció justo antes que papá y que tuvo que dejar su trabajo como organizadora de bodas para poder cuidar de ella?

–¿Cómo sabes tú todo eso si yo me acabo de enterar hace unos días?

–Porque yo escuchaba cuando ella me hablaba –murmuró Brady apretando los dientes–. Sabía que Abby estaba deprimida cuando empezó a trabajar con nosotros, pero ella hizo todo lo posible para que no se le notara. Yo me limité a hablar con ella de cosas triviales y a recoger las pistas que ni ella misma sabía que estaba dando.

Dios. Cade no sabía qué era peor, el hecho de

que su hermano conociera los problemas de Abby o que supiera que se había enamorado de él.

–¿Le has dicho que deje de organizar esta absurda boda?

Cade asintió.

–Le dije que no podía casarme con Mona, pero no he hablado todavía con la propia Moda. No me ha devuelto las llamadas. Todavía estoy tratando de encontrar la manera de poder aprovechar esta magnifica oportunidad sin tener que renunciar a Abby.

–¿Y si no la encuentras? –le preguntó Brady.

–Entonces tendré que decidir qué es más importante.

Capítulo Dieciséis

–¿Cómo dices?

Abby que quedó mirando la mano de Sam paralizada a medio camino entre su boca y el helado de chocolate y caramelo líquido. Estaban relajándose en unas tumbonas que daban al mar, charlando como unas adolescentes.

Abby repitió lo que había dicho.

–Me pidió que le organizara la boda.

–Qué estúpido.

Sam se metió la cuchara de helado en la boca y la saboreó. Abby sentía que realmente merecía algún tipo de premio por estar allí viviendo la agonía no sólo de ver a Sam poniéndose morada a chocolate, sino también por tener que revivir la pesadilla de planear la boda de Cade y Mona.

–Bueno, yo tampoco estoy libre de culpa –añadió Abby–. En cierto modo manipulé la situación para acercarme más a él.

Una sonrisa traviesa cruzó el rostro de Sam.

–Sabía que no le dejarías marchar sin pelear. Quiero todos los detalles.

¿No podía ser más juvenil aquella conversación? Pero Abby necesitaba realmente una opinión femenina, así que se lanzó.

–Bueno, al principio me negué a viajar con él, pero entonces le dije que necesitaba ver destinos de luna de miel y que él tenía que acompañarme.

A Sam se le iluminó el rostro.

–Me encanta. Sigue.

–Le dije que ésta sería la oportunidad perfecta para mirar hoteles que estuvieran en bancarrota debido a la crisis.

Sam dio una palmada mientras soltaba una carcajada.

–Maravilloso. Está claro que lo conoces lo suficiente como para saber que tenías que hablar de negocios. Sigue.

–La primera noche en Cancún organicé una cena en la playa con un arpista tocando de fondo.

Sam pasó una uña perfectamente arreglada por la fila de chocolates que había en la caja y finalmente escogió otro.

–Me encanta esto. Romanticismo, el juego del gato y el ratón y comer chocolate. No te detengas.

Abby sonrió y se acomodó en la tumbona.

Aquélla era una buena recapitulación.

–Hablamos un poco y estuvo a punto de besarme, pero sonó el teléfono. Era Mona.

Sam gimió.

–Oh, no.

–Sí.

Abby se hizo también con su propio bombón de chocolate. Al diablo.

–Pero no fue una noche completamente perdida, porque me estaba mirando como si nunca me hubiera visto antes, así que supe que íbamos a llegar a algún lado. Y me besó.

–¿Qué? –exclamó Sam.

Abby se mordió el labio.

–Pero fue un beso enfadado.

Sam sonrió.

–Ésos son los mejores. Sigue.

–Lo cierto es que me pidió perdón, y estaba tan herida que me marché de la habitación.

La otra mujer cerró los ojos y gimió.

–Idiota. No tú, él. ¿Qué sucedió después?

–En nuestra siguiente parada, Puerto Vallarta, reservó una posada para nosotros y una cena tranquila al lado de un pequeño lago rodeado de plantas tropicales. No me lo podía creer.

–Es un romántico de corazón, tanto si lo sabe como si no –afirmó Sam–. ¿Y luego qué paso?

–Nuestro siguiente destino fue Cozumel, y yo pedí la suite nupcial para poder disfrutar de los detalles que ofrecía. Por supuesto, reservé otra habitación a mi nombre para que no hubiera presión, pero eso él no lo sabía.

Sam extendió las piernas y cruzó los tobillos.

–Me encanta engañar a los hombres.

–En cuanto llegamos llegaron dos señoras para darnos un masaje en pareja. Cuando se hubieron marchado me besó. Y no soy capaz de describírtelo con palabras, porque no las tengo.

Sam la miró, se dio una palmadita en el vientre y sonrió.

–Te comprendo.

Sí, seguramente sí.

–A la mañana siguiente fuimos a bucear –continuó Abby levantándose las gafas y colocándoselas en la parte superior de la cabeza para no tener después marcas blancas–. Cuando volvimos me desmayé. No fue muy inteligente por mi parte mezclar el calor con la falta de desayuno, pero nosotros… bueno.

Sam se la quedó mirando fijamente.

–¿Lo hicisteis? Oh, Abby. Lo quieres de verdad, ¿no es cierto? No se casará con Mona por mucho que haya en juego.

Abby sintió que el corazón le saltaba dentro del pecho.

–¿Qué te hace pensar que no cambiará de opinión?

–Cade no es así –aseguró sin atisbo de broma–. No hace mucho tiempo que lo conozco, pero conozco a Brady, y ellos no son de los que juegan con los sentimientos de las mujeres. Tal vez Cade no se haya dado cuenta de que te ama, pero te ama. En caso contrario no habría puesto en riesgo tantos millones de dólares acostándose contigo.

Abby suspiró.

–Eso pensé yo, rezaba para que así fuera, pero escuchar a otra persona decirlo me calma. Pero entonces pienso en Mona. ¿La conoces?

–¿A Mona Tremane? La he visto una o dos veces.

–Es guapísima.

Sam asintió.

–Lo es. Pero, ¿crees que es la única mujer guapa del mundo? Tú te miras al espejo todos los días para arreglarte, ¿no? Posees una sencillez de la que Mona carece. Hay algo pleno y angelical en ti.

–Eso no me hace ser un partidazo. Hace que parezca una profesora.

Sam le dio una palmadita en la pierna.

–Escucha. Cade ha salido con actrices, modelos y mujeres espectaculares de todo tipo. Pero nunca lo había visto tan relajado ni tan en paz consigo mismo cuando os vi a los dos en el vestíbulo. Sonreía de oreja a oreja, igual que tú.

¿Se atrevería a soñar?

–¿De verdad?

–A ojos de los extraños erais como una pareja más de luna de miel.

Abby miró hacia las aguas turquesas y las blancas olas que lamían la orilla.

–No quiero dar esa imagen. Quiero que seamos esa pareja de verdad.

Cade acompañó a Abby de regreso a su habitación después de que hubieran cenado con Sam y con Brady. El mozo había llevado el equipaje a la suite nupcial, donde se habían cambiado para la cena, pero todavía no había quedado claro cómo iban a dormir. Abby no estaba segura siquiera de si iban a compartir habitación o si iban a dejar las cosas en plan sencillo.

¿Sencillo? No había nada de sencillo en aquella situación. Se estaba acostando con su jefe, quien se había comprometido hacía poco con otra mujer.

Abby se estremeció. Su madre estaría desilusionada.

El ascensor se detuvo en el ático y Cade le hizo un gesto para que pasara delante de él cuando se abrieron las puertas. Sólo había una habitación en la planta de arriba, así que no necesitaban llave porque sólo podían acceder a ella en aquel ascensor particular.

Abby se detuvo delante de la puerta y se giró para darle las buenas noches, pero se llevó una sorpresa cuando Cade la apoyó contra la pared y le devoró la boca y el cuello y le tiró de la blusa.

Abby se arqueó contra él, exigiendo más.

–Llevo todo el día deseando que suceda esto –murmuró Cade contra su piel ardiente y húmeda.

Mientras sus labios continuaban torturándole la parte superior de los senos, que ahora se derramaban prácticamente, las manos de Cade decidieron actuar por su cuenta.

Le levantó la falda y deslizó los dedos a lo largo de sus braguitas.

Abby necesitaba más, así que empezó a desabrocharle los pantalones. Le abrió el botón con pericia y le bajó con cuidado la cremallera. Le bajó los pantalones hasta los tobillos, pero no antes de que Cade sacara un preservativo del bolsillo.

Él alzó la cabeza, sonrió y le bajó las braguitas lo justo para que pudiera sacar un pie entre ellas.

–Estamos en medio del pasillo –le recordó Abby.

Cade sonrió travieso mientras la levantaba.

–Lo sé.

Abby le rodeó instintivamente la cintura con

las piernas y se olvidó de que estaban en el pasillo. Bueno, no lo había olvidado del todo cuando sintió la puerta del ático en la espalda, pero en aquel momento no le importaba.

Cade se cubrió con un preservativo mientras Abby alzaba las caderas y le daba la bienvenida.

Rápido. Demasiado rápido.

–Cade.

No sabía qué estaba suplicando, pero todo su cuerpo se puso tenso cuando él le capturó la boca una vez más. Las lenguas se enredaron, los cuerpos se movieron en frenético ritmo.

El alivio de Abby le atravesó el cuerpo mientras se apretaba con más fuerza contra Cade. Todo su ser se fundió contra él.

Antes de que pudiera tomar aire, Cade apartó la boca de la suya y dejó escapar un gemido gutural cuando encontró su propio alivio.

Cuando los temblores hubieron cesado, Abby cerró las piernas y se deslizó por el cuerpo de Cade. Inmóvil, saciada y más que asombrada por lo que acababa de suceder, sonrió.

–Seguimos vestidos.

Cade volvió a subirse los pantalones sin molestarse en abrochárselos y abrió la puerta.

–Lo siento, pero no podía esperar un segundo más para estar contigo.

El horror se apoderó de Abby.

–Por favor, dime que tu familia no tiene instaladas cámaras de seguridad en esta planta.

La rica risa de Cade se burló de ella mientras la urgía a entrar en la suite y cerraba la puerta.

–Ésta es la suite nupcial, Abby. Todo lo que suceda en esta planta es privado y queda entre la pareja. Tu reputación de buena chica continúa intacta.

¿Se suponía que debía tomarse aquello como un cumplido?

¿Acaso a los hombres les gustaban «las buenas chicas»? Siempre y cuando a Cade sí, a ella no le importaba.

Miró a su alrededor y suspiró. Era una suite perfecta en un hotel perfecto. Todo en Kauai le llamaba la atención.

La cama con dosel cubierta de blancas telas alrededor del colchón estaba situada en la esquina de lo que a Abby le pareció un escenario. Dos pequeños escalones llevaban al romántico rincón y Abby se estremeció al pensar en Cade y ella allí tumbados.

¿Querría dormir con ella en esa cama toda la noche? ¿Le volvería a hacer el amor?

Unas puertas dobles daban al balcón con vistas a la maravillosa agua cristalina y a los picos de las montañas que asomaban a la distancia.

Se giró hacia Cade.

–Si alguna vez abres una oficina en Kauai te suplico que me dejes llevarla.

–Trato hecho.

Abby caminó descalza por la zona del salón, el dormitorio y la pequeña cocina y encontró el camino del baño. Y menudo baño.

El suelo estaba cubierto de baldosas verde oscuro. Unos azulejos iguales pero más pequeños formaban una ducha tan grande que pensó que al menos diez personas podrían ducharse allí a la vez. En todas direcciones había puntos de ducha que convergían hacia el centro.

Estaba deseando disfrutarla con Cade.

Una gran bañera de jardín se alzaba en la distancia, bajo el cielo estrellado.

–Olvídate de la oficina –le dijo Abby cuando Cade apareció a su espalda–. Quiero que esto sea mi apartamento.

Cade se rió y le pasó las manos por la cintura.

–Te mereces esto.

Sus dulces palabras combinadas con el suave calor de su respiración en la mejilla sirvieron para intensificar los escalofríos que sentía.

¿Era real todo aquello? ¿De verdad podía pensar que la escogería antes que a Mona y un multimillonario acuerdo?

Sam parecía pensar que sí. Además, el corazón de Abby le decía que no se rindiera.

A menos, por supuesto, que terminara escogiendo el negocio por encima de ella. Por mucho que lo amara, no se conformaría con ser segundo plato.

Se merecía algo mejor.

–Creo que debería disculparme por atacarte antes en el pasillo –le dijo Cade–. Quería traerte aquí para que descansáramos y habláramos. No hablamos lo suficiente.

Abby sonrió.

–Eso es porque estamos trabajando o teniendo relacione sexuales.

Oh, cielos. Cuando aquellas palabras salieron de su boca y quedaron suspendidas en el aire ya no sonaron tan bien. ¿En eso consistía únicamente su relación?

–No tengo suficiente de ti, Abby.

Ella conocía aquella sensación. Así que cuando Cade la desvistió lentamente y la besó mientras se encaminaban hacia la reina de las duchas, Abby fue consciente de que hablar estaba sin duda sobrevalorado.

Capítulo Diecisiete

Cade se quitó la ropa y se metió de nuevo en la cama, agradecido de que Abby siguiera durmiendo. Se tomó un instante como había hecho antes, cuando la dejó una hora atrás, para admirar su sencillez, su belleza inmaculada. Era maravillosa en todos los sentidos.

La piel blanca, suave, unas sutiles ondas rubias desparramadas por la blanca almohada, los labios carnosos ligeramente entreabiertos.

Sí, le había costado trabajo dejarla aquella mañana., pero tenía otra llamada importante que hacer y debía asegurarse de que llegara el paquete.

Tumbándose a su lado, Cade apoyó la cabeza en una mano y le pasó el collar de perlas entre los senos, que habían quedado al descubierto porque la sábana se le había deslizado hasta la cintura.

Abby gimió y se revolvió bajo las perlas.

Cade sonrió. Era tan maravilloso verla dormida como despierta. El sutil modo en que se le elevaban las comisuras de los labios cuando se estiraba, la sensualidad con la que las pestañas le daban contra las mejillas...

Dios, ¿por qué nunca se había fijado con anterioridad en esos aspectos de una mujer?

Porque nunca se había quedado el tiempo suficiente en la cama de ninguna.

Nunca había querido hacerlo hasta ahora.

Y eso afirmó la decisión que había tomado antes... la importante llamada al padre de Mona.

Deslizó el collar de perlas arriba y abajo una vez más, complacido al ver que abría los ojos y los clavaba en él.

Abby sonrió y extendió los brazos.

–Buenos días.

–Sí, son buenos días –reconoció Cade deslizándole las perlas por los senos.

–¿Qué es esto?

–Son tuyas –alzó el collar para que lo viera–. No tienen ni un defecto, como la mujer que las poseía antes y como la mujer que me gustaría que las llevara.

Abby abrió mucho los ojos.

–¿Son... eran...?

–Las perlas de la madre de mi padre –Cade se sentó y tiró de ella para colocarle las perlas alrededor del cuello–. Perfecto. Sabía que te quedarían bien.

Ella alzó la mano en gesto instintivo para sentir las perlas.

–¿Viajas con ellas para ver si tienes la oportunidad de regalárselas a alguien?

Su descaro no cesaba de admirarlo.

–No, estaban a salvo en mi casa. Le pedí a mi ama de llaves, en la que tengo plena confianza, que me las enviara aquí.

A Abby se le quedó congelada la mano en las perlas y clavó los ojos en los suyos.

–¿Cuándo has hecho eso?
–Ayer por la mañana, antes de que subiéramos al avión.
Abby escudriñó su rostro durante un instante sin decir nada.
¿Se había quedado sin palabras? Nunca había presenciado algo así. Pero lo que más le impactó fue que cuando se le llenaron los ojos de lágrimas, le rodeó el cuello con los brazos y estuvo a punto de tumbarlo en la cama.
Seguramente Abby se había dado cuenta de la importancia del momento. No quería que pensara que se tomaba a la ligera su regalo de amor. Y el hecho de que él no estuviera preparado para decir las palabras no significaba que no pudiera mostrarle de otras formas lo mucho que le importaba.
Las lágrimas cálidas cayeron sobre sus hombros desnudos, pero Cade sintió sus emociones hasta el fondo del corazón.
La sujetó con más fuerza.
–Entiendo que te gustan, ¿verdad?
–Me encantan –Abby se recostó secándose los ojos–. Lo siento, no era mi intención llorar. Soy una llorona terrible.
Cade le tomó el rostro entre las manos, acariciándole las húmedas mejillas con los pulgares.
–Eres preciosa hagas lo que hagas.
Ella volvió a sujetar el collar y sonrió.
–Mi madre tenía unas perlas. No eran tan caras ni tan perfectas, pero eran sus joyas favoritas.
Cade la estrechó entre sus brazos y se tumbó a su lado, cubriéndolos a ambos con la ligera sába-

na. Quería que Abby hablara, quería saber cómo era su vida antes que él.

Quería ayudar a calmar el dolor que todavía sentía por su madre. Sabía muy bien lo que era perder a un padre.

–Luché contra mí misma –continuó ella–. Cuando llegó el momento de que escogiera su ropa para el funeral, sujeté esas perlas en las manos y lloré durante horas. Quería conservarlas, conservarla a ella. Pero también quería que todo el mundo que fuera a despedirse de ella pudiera verla como le hubiera gustado.

Me costó trabajo desprenderme de todo lo que había pertenecido a mi madre, pero sabía que ella hubiera querido que siguiera adelante y fuera feliz.

Cade le besó la coronilla.

–¿Y lo eres?

Abby giró la cabeza y apoyó la barbilla sobre su pecho.

–La felicidad es aprobar un examen en la universidad o que Santa te deje el regalo que le has pedido en navidades. No puedo siquiera definir lo que siento cuando estoy contigo. La palabra «felicidad» ni siquiera se aproxima.

Cade miró hacia el rostro de la mujer que había irrumpido en su vida no una, sino dos veces. La primera como su ayudante. Y la segunda tan sólo dos semanas atrás como la mujer de la que se había enamorado.

Ahora le resultaba muy fácil reconocer el sentimiento. Resultaba extraño lo mucho que había tardado en ponerle nombre antes.

Las fusiones empresariales nunca le habían hecho tan feliz.

Nunca. Y aunque no pensara en su propia felicidad, valía la pena haber tomado aquella decisión con tal de ver la emoción que reflejaba el rostro de Abby.

Ya no había vuelta atrás.

Estar tumbada en la playa durante todo el día con Sam era un cambio agradable. Abby supo en el fondo de su corazón que sería una amiga para siempre, alguien en quien podría confiar. Y eso estaba muy bien, porque ya no contaba con una figura femenina en su vida, ni tampoco Sam. Su madre había muerto joven en un accidente de coche.

Ahora, sin embargo, Abby estaba sola tumbada al sol.

El médico de Sam le había dicho que si tomaba demasiado sol podría acalorarse y provocar falsas contracciones. Abby había tenido que obligar a Sam a que entrara a echarse una siesta o sólo a descansar, amenazándola con avisar a Brady... quien probablemente habría contratado al menos a tres empleados del hotel para que vigilaran a su esposa.

¿Sería Cade tan protector si estuviera esperando ella a su hijo? ¿Querría asegurarse siempre de que estaba a salvo?

Por supuesto. Así era Cade. Haría cualquier cosa por la gente que le importaba. ¿Acaso no se había comprometido con una mujer a la que no amaba en absoluto para hacer feliz a su hermano y honrar el legado de su padre?

Todo lo que hacía lo hacía por amor a los demás. ¿Cómo no iba a amarlo ella con todo su corazón?

No había vuelto a hablar de su «acuerdo de negocios» con Mona, pero le había dicho que no se preocupara de ello, así que no lo hacía. Después de todo, Abby era la que llevaba puestas las perlas de su abuela y la que iba a su lado desde hacía varios días.

Pero deseaba de verdad que le hubiera dicho qué estaba sucediendo. No quería preguntar, pero sinceramente, Abby sentía que tenía derecho a saberlo.

Se negaba completamente a creer que la dejaría de lado por un asunto de negocios, por mucho dinero que hubiera en juego. Si Cade quería asegurarse de que Stone Entreprises creciera, encontraría otra forma de hacerlo.

Abby extendió a ciegas el brazo por un lado de la tumbona y recogió su botella de agua. Se humedeció las piernas y el estómago y volvió a dejar la botella. No había nada más relajante que tumbarse al sol en la playa más bonita que había visto en su vida pensando todo el tiempo en el hombre al que amaba.

«Soy feliz, mamá. Soy feliz de verdad».

Un teléfono móvil sonó en la distancia, recordándole que no había comprobado el suyo desde hacía unos días. Suspirando, se reclinó, buscó en su desordenada bolsa de playa y sacó la Blackberry.

Se negó a mirar los correos electrónicos, pero escuchó dos mensajes de voz.

El primero era de su casera, recordándole que el contrato de un año estaba a punto de tocar a su fin y necesitaba saber si iba a firma otro.

–Espero que no –murmuró mientras escuchaba el siguiente mensaje.

–*Hola, Abby.*

La dulce voz de Mona se filtró a través del teléfono. Abby se incorporó, se quitó las gafas y escuchó atentamente.

–*Sé que dije que no quería saber nada de la boda, pero al final he escogido un vestido y lo he enviado a la oficina de Cade para que puedas verlo. Pensé que podrías decirme si el estilo combina con todo lo que has escogido hasta el momento. Si tienes alguna duda házmelo saber. Adiós.*

Un escalofrío recorrió a Abby con tal fuerza que a pesar del calor de cuarenta grados que hacía, tembló.

¿Dudas? Sí, tenía algunas. ¿Por qué enviaba Mona un vestido a la oficina? ¿Por qué el mero sonido de su voz hacía que Abby se sintiera inadecuada y menos mujer?

¿Y por qué no había cancelado Cade la boda?

El dolor y la ira se enfrentaron para reinar en el cuerpo de Abby. Por desgracia, estaban empatados.

Cuando hubo recogido sus cosas, se hubo puesto el pareo y las chanclas blancas, la propia Abby también estaba librando una batalla consigo misma.

Sin duda tenía que haber una explicación para

que Cade no hubiera llamado a Mona. Tenía que haberla. Le había hecho el amor a Abby demasiadas veces durante la última semana. La había abrazado, y le había escuchado hablar una y otra vez sobre su madre.

Le había dado las perlas de su abuela, por resumir.

Cuando salió de la playa, Abby no supo si quería irrumpir en el despacho de Brady, donde Cade y él estaban hablando de negocios, o si quería esperar y hablar de su situación en la serenidad de su suite.

Teniendo en cuenta que estaba luchando por el hombre al que amaba, sólo había una opción.

Se abrió camino a través del vestíbulo abierto y siguió por el pasillo en dirección a los despachos ejecutivos en los que había visto entrar a Brady y a Cade el día anterior por la mañana. Cuando encontró la placa de Brady, no vaciló. La furia espoleó su determinación.

Ambos hombres se giraron en los asientos cuando Abby entró sin llamar por la puerta del despacho de Brady.

–Me disculparía por interrumpir, pero no sería sincera.

Se acercó a ellos, dejó la bolsa en la única silla vacía que había y les hizo un gesto a ambos hombres para que siguieran sentados.

–No os levantéis.

–¿Ocurre algo? –preguntó Cade ignorando su petición y poniéndose de pie para observarle el rostro.

Abby se rió y se llevó las manos a las caderas.
–¿Algo? Bueno, no lo sé, Cade. Dímelo tú.
Brady se puso de pie.
–Creo que yo...
–Vuelve a sentarte –lo interrumpió Abby sin apartar los ojos de Cade–. Esto sólo llevará un minuto y los dos podréis volver a vuestros asuntos.
–Abby, ¿qué diablos ha pasado? –inquirió Cade–. Nunca te he había visto tan alterada.
Ella no vaciló. Sólo había una pregunta para la que ella necesitaba respuesta.
–¿Le dijiste a Mona que la boda se cancelaba?
–Yo...
Abby alzó una mano y repitió.
–¿Se lo dijiste?
–No.
Abby se reconoció a sí misma el mérito de no venirse abajo... y de no lanzarse a la yugular de Cade, tal y como se merecía.
Ignoró el escozor de los ojos. Que la asparan si permitía que la viera llorar. Y que la asparan si seguía siendo «la otra» un instante más.
–Considera esto mi renuncia en el trabajo –recogió el bolso, se lo colgó del hombro y añadió–, ah, y búscate una nueva organizadora para tu boda.

Capítulo Dieciocho

Cade estaba sentado en su despacho. Su silencioso y solitario despacho.

Hacía dos días que había regresado a San Francisco y no había sabido ni una palabra de Abby. Se marchó del hotel tan deprisa que para cuando él le hubo explicado lo sucedido a su entrometido hermano y volvió a subir a la habitación, ella ya se había marchado.

Su equipaje seguía allí, pero había pedido que le enviaran todo a la dirección de su casa.

Cargó el importe de ese envío y de un billete de avión en la tarjeta de crédito de la empresa.

No es que a Cade le importara. Había manejado toda aquella situación de la peor manera posible. En lugar de evitarle a Abby tener que lidiar con aquel lío, la había colocado justo en el medio, destrozándole el corazón en el proceso.

El timbre electrónico sonó entonce, indicando que alguien había entrado en el vestíbulo. Cade suspiró y supo que ahora su trabajo era también recibir a nuevos clientes.

Pero antes de que pudiera salir de detrás de su escritorio, Mona apareció en el umbral con una carpeta azul en la mano.

–¿Estás ocupado? –le preguntó.

No, sólo tenía que ocuparse del trabajo de oficina, la ayuda temporal se estaba retrasando, había estropeado lo mejor que le había sucedido en la vida y estaba tratando de averiguar cómo arreglar aquel lío.

–No –respondió señalando con un gesto la silla con respaldo que había frente a su escritorio–. Toma asiento.

Ella dejó la carpeta sobre el escritorio y obedeció.

–Éstos son los papeles legales de mi padre. Dice que Brady y tú tenéis que firmar cinco copias. Una para cada uno de vosotros, otra para mí y otra para cada uno de nuestros abogados.

Cade abrió la carpeta y leyó el encabezamiento.

–Esto no puede ser.

–No hay ningún error –le aseguró Mona–. Mi padre sigue queriendo hacer negocios con Brady y contigo. De hecho está entusiasmado con el reto.

Cade alzó la vista.

–¿Por qué? He cancelado la boda.

Mona sonrió.

–Antes de que lo hiciera yo.

–¿Qué?

–Me he enamorado –se explicó ella–. No sé a quién tenía más miedo de defraudar, si a mi padre o a ti. Y ahora que tú también te has enamorado, todo será mucho más fácil.

¿Por qué diablos todo el mundo sabía cuáles eran sus sentimientos?

–¿Ibas a cancelar la boda? Pero enviaste un vestido aquí –le recordó Cade, pensando que tenía que devolvérselo antes de que se marchara.

Estaba ocupando demasiado espacio en su ropero.

Mona sonrió y se colocó un mechón de cabello detrás de la oreja.

–Así es. Pensé que tenía que seguir con mi parte del acuerdo, pero cuando recibí tu mensaje diciéndome que necesitabas hablar conmigo y que era urgente, confiaba en que ésa fuera la razón.

–No me gustó dejar un mensaje de voz, pero me estaba quedando sin tiempo –se explicó Cade–. Odiaba tener a dos mujeres pensando que eran las elegidas. No era justo para nadie

–Y menos para ti –añadió Mona.

Cade sonrió. Era una mujer realmente preciosa. Pero ni todos sus trajes de marca ni su cabello perfectamente peinado podían compararse con la belleza de Abby cuando se despertó la mañana en la que le había dado las perlas.

El timbre de la puerta principal volvió a sonar y Cade se puso de pie.

–Discúlpame un segundo.

Pero fue demasiado lento para llegar al vestíbulo antes de que Abby entrara en su despacho.

No parecía tan desgraciada como se sentía él. El bronceado que había conseguido durante su viaje se añadía a su belleza natural. El dorado cabello le caía en ondas sobre los hombros y su vestido azul de playa que le llegaba a la altura de las rodillas la hacía parecer más inocente todavía.

–Lo siento –dijo pasando por delante de Cade y dirigiéndose a Mona–. Sólo he venido a recoger mis cosas. No me interpondré.

Cade tuvo la sensación de que se estaba refiriendo a algo más que a la reunión del momento.

–No te estás interponiendo –le dijo él, pero Abby ya se marchaba.

–Maldición –murmuró pasándose una mano por el pelo y girándose hacia Mona.

Ella se pus de pie.

–Yo me voy. Habla con ella. Siento haber provocado esto.

–No has sido tú –aseguró Cade–. Lo he hecho yo solito.

–Tú firma esos papeles –le recordó Mona–. Yo vendré más tarde por el vestido. No creo que sea buena idea llevármelo ahora mismo.

Guapa e inteligente.

–Harás muy feliz a algún hombre.

Ella sonrió y se marchó, dejando a Cade con sus propias miserias.

Cuando se acercó al umbral, se le encogió el corazón al ver a Abby guardando sus fotos en una caja. Nunca había visto esa caja ni las fotos, pero dio por hecho que se trataba de fotos de su madre.

–¿Puedes venir un momento? –le preguntó.

Ella se giró abrazada a la caja

–Creo que ya nos lo hemos dicho todo. No reavivemos los errores que hemos cometido.

–Sé que no merezco tu tiempo, pero de todas maneras te pido un minuto.

Abby suspiró.

–Un minuto.

Emocionado ante tan pequeña victoria, Cade se echó a un lado, permitiéndole que pasara.

–Dijiste que me querías –dijo él sin pensar demasiado en cómo iba a utilizar aquel precioso minuto.

–Así fue.

Cade alzó una ceja.

–¿Así fue?

–De acuerdo, todavía es. No puedo encender y apagar mis sentimientos hacia las personas, Cade. Soy humana. ¿Para eso me has dicho que venga? ¿Para escuchar que te quiero y añadirlo a tu ego? ¿No te ha bastado con la visita de Mona?

Cade se colocó a su lado, aunque sabía que no era un movimiento inteligente.

–Me lo merezco. Pero tengo que decirte...

El maldito timbre de la puerta volvió a sonar.

–Será mejor que vayas –le dijo Abby–. No tienes asistente.

Cade gimió y se dirigió a librarse de quienquiera que estuviera en el vestíbulo.

Una joven de edad universitaria estaba allí de pie con un bolso y una carpeta.

–Hola, soy Kelly Armstrong, de la agencia de trabajo temporal.

¿No podría haber llegado cinco minutos más tarde?

–Siéntate –dijo señalando el escritorio vacío–. Saldré en cinco minutos.

Cuando se dio la vuelta para volver a su despacho, Abby pasó por delante de él y salió por la puerta.

–¿Es un mal momento? –preguntó la universitaria.

Cade miró hacia atrás.

–La verdad es que sí. Me aseguraré de que te paguen el día de hoy, pero, ¿podrías volver mañana por la mañana?

–Sin duda.

Cuando la joven se hubo marchado, Cade regresó a su despacho y se quedó paralizado.

Los documentos legales para formar aquel acuerdo de miles de millones de dólares estaban desparramados encima de su escritorio. Él no lo había hecho. Los había dejado bien colocados. Obviamente, Abby había estado hurgando en ellos. Y había dejado su propia marca.

Encima de los papeles estaban las perlas de su abuela.

Abby no torció el gesto. Le gustaba pensar que ir de compras y adquirir cosas que no podía permitirse era como hacer una limpieza en su vida. Hacía meses que no utilizaba la tarjeta de crédito, y ahora se estaba resarciendo con creces.

Zapatos, bolsos, vestidos de seda y una variedad de ropa cómoda de verano... todo eso le hizo feliz. Pero cuando entró en una elegante tienda de muebles y escogió un dormitorio nuevo, aquello la entusiasmó... por el momento.

Dentro de dos días le llevarían la cama de trineo fabricada en caoba, que quedaría preciosa con la ropa de cama en tono perla que había escogido de un catálogo. También compró un armario a juego y la cómoda. No le importaba en absoluto que aquellos muebles tan grandes ocuparan la mayor parte de su estudio.

En el camino de regreso a su apartamento, Abby se sintió un poco mejor respecto a las novedades de su vida. Pero sabía que nada, absolutamente nada podía llenar el vacío. Igual que sabía que no tenía a nadie a quien culpar. ¿Se arrepentía de haber ido detrás de lo que quería?

No. Al menos había tenido unos cuantos días para amar a Cade. El hecho de que él no hubiera querido aceptar su regalo no significaba que ella se arrepintiera de algo.

No iba a suplicar ni a rogar. Pero tampoco iba a quedarse sentada llorando sintiendo lástima de sí misma.

Abby entró en el apartamento y dejó las bolsas en el sofá. Las abrió y sacó todas las faldas, los vestidos, las camisetas y el resto de las cosas. Agarró la primera camiseta que encontró, que era de un alegre color cereza y un par de pantalones cortos color caqui.

A partir de aquella noche iba a iniciar una nueva vida, y cuando llegara el lunes por la mañana volvería a darse contra la realidad y a buscar un trabajo.

Pero esta noche iba a divertirse.

Le quemaban los muslos y le dolía todo el cuerpo, pero se mantuvo.

Abby apretó las piernas alrededor del toro mientras se movía hacia delante y hacía atrás.

–¡Guau!

–¡Vamos, chica!

Los gritos de la multitud, unidas a su propia determinación, lograron que Abby se mantuviera encima hasta el final.

Había vuelto a vencer al toro.

–Un nuevo récord para el local –anunció el DJ–. ¡Veinte segundos!

Abby estrechó las manos que le extendían y salió del escenario. Se volvió a poner las sandalias y sonrió a la gente que le daba palmaditas en la espalda.

Abriéndose camino hacia el bar para tomar una copa, la primera de la noche, Abby sintió un pequeño escalofrío de victoria por haber roto un récord encima del toro.

–Tomaré cualquier cosa que me pongas –le dijo al camarero.

–Apúntalo a mi cuenta.

Abby se giró hacia el sonido de la voz que llevaba tanto tiempo intentando sacarse de la cabeza. Por desgracia, ver al hombre era mucho, mucho peor que oírlo. Y estaba dolorosamente guapo. ¿Esperaba algo menos que perfección viniendo de Cade Stone?

–Tenga, señorita.

Abby se giró para hacerse con la bebida y sacó un billete de cinco dólares del bolsillo.

–Yo me pago mis copas. Quédese con el cambio.

Cade le sujetó el brazo con los dedos y la giró para obligarla a mirarlo.

–Ven conmigo.

–No voy a ir a ninguna parte contigo.

Cade ignoró su mirada supuestamente asesina y tiró de ella. Como no quería montar una escena, Abby le siguió.

Pero Cade no salió del bar, como ella pensó que haría. Atravesó la multitud y bajó por un pasillo estrecho y mal iluminado hasta llegar a un despacho. Cuando la hubo urgido a entrar, cerró la puerta.

–¿Qué diablos estás haciendo? –inquirió Abby.

–Obligarte a escucharme –Cade estiró el brazo, le quitó la cerveza de la mano y la puso sobre una mesita–. Y quiero que estés lúcida.

¿Lúcida? ¿Acaso pensaba que había estado bebiendo toda la noche?

Sin decir una palabra, Abby se cruzó de brazos y esperó. Por favor, por favor, que no dijera cuánto lamentaba el tiempo que habían pasado juntos y que aquello era lo mejor para todos. Se vendría abajo si Cade decía que su breve relación había sido un error.

–¿Podemos sentarnos? –preguntó Cade señalando hacia el viejo sofá de cuero que había pegado a la pared.

Abby pensó durante un segundo en la posibilidad de ignorar su propuesta, pero si iba a constatarle el hecho de que tenía que casarse con Mona, Abby quería tener un firme soporte debajo.

Rodeó la mesita auxiliar y se sentó en el extremo del sofá, agradecida al ver que Cade hacía lo mismo al otro extremo.

–Todo lo que ha sucedido desde que estuvimos en Kauai no han sido más que malentendidos –se explicó él–. No he podido acercarme a ti hasta ahora.

A Abby empezó a latirle el corazón de nuevo, algo que sentía que no le sucedía desde que escuchó el mensaje de voz de Mona. Pero no quería esperanzarse. No podría soportar otra decepción.

Cade se pasó la mano por el pelo y la emoción de Abby subió una escala más. Estaba nervioso.

–Primero déjame decirte que Mona y yo no vamos a casarnos.

–¿Por lo que pasó entre nosotros? –preguntó Abby.

–Sí y no –Cade se reclinó hacia delante y apoyó los codos en las rodillas–. Estuve llamándola la semana pasada cuando estuvimos fuera para explicarle que no podía casarme con ella porque sentía cosas muy fuertes por ti, pero nunca me contestó las llamadas. Finalmente dejé un breve mensaje de voz en su buzón diciéndole que tenía que hablar con ella del compromiso y que necesitaba que me llamara.

Como no podía quedarse quieta, Abby cruzó las piernas, complacida al ver que los ojos de Cade seguían cada movimiento que hacía.

–Unos días más tarde –continuó él–, llamé a su padre y le dije que lo sentía, que no podía casarme con Mona, pero que si todavía quería seguir adelante con nuestro trato, estaría dispuesto a escucharle. Pensé que no le interesaría, pero esta tarde Mona me ha llevado los documentos a la oficina.

Abby permitió que la emoción se apoderara de ella. No le estaría contando aquello si no quisiera estar con ella, ¿verdad?

Cade se revolvió un poco en el sofá y se la quedó mirando fijamente a los ojos.

–Mona también vino a decirme que iba a cancelar la boda porque había encontrado a alguien. No sabía cómo decírselo a su padre ni a mí, por eso te llamó y envió el vestido. Sentía que tenía que seguir con esto hasta que pudiera confesar.

Abby no sabía qué pensar. Pero tenía algunas preguntas.

–¿Habrías cedido y te hubieras casado con ella si su padre hubiera rechazado cualquier otra idea? –quiso saber Abby.

–No.

No vaciló ni apartó los ojos de los suyos. Aquello era una buena señal.

–Entonces, ¿por qué estás aquí? ¿Y por qué sabías que yo vendría? –Abby alzó una mano–. Te ha vuelto a llamar el dueño, ¿verdad?

–Sí. Le pedí que estuviera atento, imaginé que vendrías aquí porque aquí viniste cuando te enteraste de lo de la boda.

La conocía muy bien.

Abby tragó saliva.

–¿Qué quieres de mí?

–Todo –Cade se puso de pie, buscó en los bolsillos y sacó una bolsita negra–. Te dejaste esto.

Sacó el collar de perlas y tendió la mano para ayudarla a ponerse de pie.

–Lo quiero todo de ti, Abby, todo lo que estés dispuesta a darme. Tu vida, hijos, tu amor.

A Abby le temblaron las rodillas y se le llenaron los ojos de lágrimas.

–¿Y qué me darás tú a cambio?

Cade le rodeó el cuello con el collar.

–Mi vida, hijos. Mi amor.

Abby cerró los ojos y disfrutó del momento. Las lágrimas le resbalaron por el rostro. Cuando la suavidad de las yemas de los dedos de Cade le acariciaron la humedad, ella abrió los ojos y cruzó la mirada con la suya.

–Te amo, Abby. Darme cuenta de ello vale mucho más que un acuerdo multimillonario.

Abby sonrió y supo que estaba hablando en serio.

–Dime que te casarás conmigo –susurró Cade mientras le ponía las manos sobre los hombros–. No quiero pasar una noche más sin ti.

Abby dio un paso adelante, le echó los brazos al cuello y dijo la única palabra que pudo pronunciar a través de las lágrimas.

–Sí.

La atracción entre ellos se volvió tan explosiva que no pudieron resistirse a la tentación

Marin Wade, que estaba a punto de perder su empleo, se alojaba en casa de su hermanastra, Lynne, cuando el jefe de ésta, Jake Radley-Smith, se presentó sin aviso. Como Lynne no estaba y él necesitaba una acompañante para esa noche, insistió en que ella lo acompañara. Marin no tuvo más remedio que aceptar, pero la farsa se convirtió en algo más cuando Diana, la ex novia de Jake, se empeñó en que la pareja asistiera a una fiesta en su casa de campo el fin de semana siguiente.

Obligada a fingir ser novia de Jake durante la fiesta de Diana, empezó a tener dificultades para distinguir entre ficción y realidad...

Inocencia salvaje

Sara Craven

¡YA EN TU PUNTO DE VENTA!